oasis
COMPLETE
CHORD
SONGBOOK

SONY MUSIC PUBLISHING

Exclusive distributors:
Music Sales Limited
8/9 Frith Street,
London W1D 3JB, England.

Music Sales Pty Limited
120 Rothschild Avenue
Rosebery, NSW 2018, Australia.

Order No.AM964502
ISBN 0-7119-8303-8
This book © Copyright 2000
by Sony Music Publishing.

Compiled by Nick Crispin.
Book design by Phil Gambrill.
Music arranged by Matt Cowe.
Music processed by The Pitts.

Printed in the United Kingdom by
Caligraving Limited, Thetford, Norfolk.

Your Guarantee of Quality:
As publishers, we strive to produce every
book to the highest commercial standards.
The music has been freshly engraved and the book
has been carefully designed to minimise awkward
page turns and to make playing from it a real pleasure.
Particular care has been given to specifying
acid-free, neutral-sized paper made from pulps
which have not been elemental chlorine bleached.
This pulp is from farmed sustainable forests and
was produced with special regard for the environment.
Throughout, the printing and binding have
been planned to ensure a sturdy, attractive
publication which should give years of enjoyment.
If your copy fails to meet our high standards,
please inform us and we will gladly replace it.

Music Sales' complete catalogue describes
thousands of titles and is available in full colour
sections by subject, direct from Music Sales Limited.
Please state your areas of interest and send
a cheque/postal order for £1.50 for postage to:
Music Sales Limited,
Newmarket Road, Bury St. Edmunds, Suffolk IP33 3YB.

WWW.MUSICSALES.COM

THE SONGS

Acquiesce

Words & Music by
Noel Gallagher

A7   D/F#   G   F   E   Fsus2/C   C   E♭   fr6

Intro   ‖: A7 | D/F# G | A | D/F# G :‖

Verse 1

A7
I don't know what it is that makes me feel   alive,
                                                  D/F#   G

A7
I don't know how to wake the things that sleep inside,
                                                  D/F#   G

A7
I only want to see the light that shines behind your eyes.   D/F# G   A7 D/F# G

A7
I hope that I can say the things I wish I'd said,   D/F#   G

  A7
To see myself asleep and take me back to bed,   D/F#   G

    A7
Who wants to be alone when we can feel alive instead?   D/F# G   A7 G D/F# G F E

Chorus 1

         Fsus2/C   C   G
Because we need   each other,

       Fsus2/C   C   G
We believe   in one another,

         Fsus2/C   C   G
And I know we're   gonna uncover

                 Fsus2/C   C G
What's sleeping in our soul. _____

         Fsus2/C   C   G
Because we need   each other,

       Fsus2/C   C   G
We believe   in one another,

         Fsus2/C   C   G
And I know we're   gonna uncover

                 Fsus2/C   C G
What's sleeping in our soul. _____

                 A   G   D/F#   F   E
What's sleeping in our soul. _____

Verse 2

    A⁷   **D/F♯**   **G**
There are many things that I would like to know,

       A⁷   **D/F♯**   **G**
And there are many places that I wish to go,

       A⁷   **D/F♯**   **G**   **A⁷**   **D/F♯** **G**
But everything's depending on the way the wind may blow.

     A⁷   **D/F♯** **G**
I don't know what it is that makes me feel alive,

     A⁷   **D/F♯**   **G**
I don't know how to wake the things that sleep inside,

     A⁷   **D/F♯**   **G**   **A⁷** **G** **D/F♯** **F** **E**
I only want to see the light that shines behind your eyes.

Chorus 2

                   Fsus²/C **C**   **G**
Because we need   each other,

              Fsus²/C **C**   **G**
We believe   in one another,

                Fsus²/C **C**   **G**
And I know we're   gonna uncover

                             Fsus²/C   **C** **G**
What's sleeping in our soul. _____

                   Fsus²/C **C**   **G**
Because we need   each other,

              Fsus²/C **C**   **G**
We believe   in one another,

                Fsus²/C **C**   **G**
And I know we're   gonna uncover

                           Fsus²/C   **C** **G**
What's sleeping in our soul. _____

                           Fsus²/C   **C** **G**
‖: What's sleeping in our soul. _____   :‖ *Play 3 times*

Outro?

                 Fsus²/C   **C** **G**
‖: 'Cause we believe. _____   :‖ *Play 6 times*

              Fsus²/C **C** **G**
Because we need. _____

              Fsus²/C **C** **G**
Because we need. _____

Coda | **Fsus²/C** | **C** | **E♭** | **C** | **G**   ‖

Alive

Words & Music by
Noel Gallagher

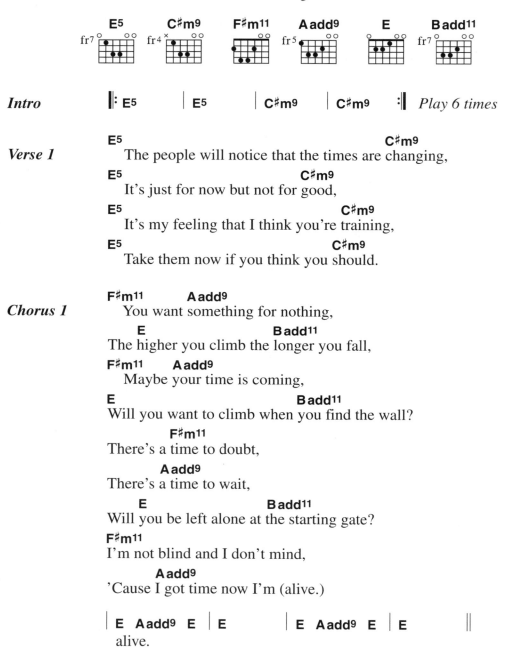

Intro $\lVert$: E5 | E5 | C#m9 | C#m9 :$\rVert$ *Play 6 times*

Verse 1

E5
   The people will notice that the times are changing,   C#m9

E5   C#m9
   It's just for now but not for good,

E5   C#m9
   It's my feeling that I think you're training,

E5   C#m9
   Take them now if you think you should.

Chorus 1

F#m11   Aadd9
   You want something for nothing,

     E   Badd11
The higher you climb the longer you fall,

F#m11   Aadd9
   Maybe your time is coming,

     E   Badd11
Will you want to climb when you find the wall?

         F#m11
There's a time to doubt,

        Aadd9
There's a time to wait,

       E   Badd11
Will you be left alone at the starting gate?

F#m11
I'm not blind and I don't mind,

       Aadd9
'Cause I got time now I'm (alive.)

 | E Aadd9 E | E | E Aadd9 E | E   ‖
 alive.

Verse 2

E5   C♯m9
    The people have noticed that the times are changing,

E5   C♯m9
    But are they gonna do something now?

E5   C♯m9
    I think I've seen you all hesitating,

E5   C♯m9
    I think I'll go and do something now.

Chorus 2

F♯m11   Aadd9
    You want something for nothing,

      E   Badd11
The higher you climb the longer you fall,

F♯m11   Aadd9
    Maybe your time is coming,

E   Badd11
Will you want to climb when you find the wall?

        F♯m11
There's a time to doubt,

       Aadd9
There's a time to wait,

      E   Badd11
Will you be left alone at the starting gate?

F♯m11
I'm not blind and I don't mind,

        Aadd9   E   Aadd9 E
'Cause I got time now I'm alive,

        E   Aadd9 E
Yeah I'm alive,

          E   Aadd9 E
And now I'm alive,

        E   Aadd9 E
Yeah I'm alive.

Solo

‖: E | E | E | E   :‖   *Play 4 times*

‖: F♯m11 | Aadd9 | E | Badd11 :‖   *Play 3 times*

| F♯m11 | F♯m11 | Aadd9 | Aadd9 |

| E Aadd9 E | E | E Aadd9 E | E |

| E Aadd9 E | E | E Aadd9 E | E   ‖

All Around The World

Words & Music by
Noel Gallagher

Intro   ‖: B | F♯ | E | G♯m F♯ :‖

Verse 1

B   F♯
It's a bit early in the midnight hour for me,
  E   G♯m F♯
To go through all the things that I want to be.
B   F♯
I don't believe in everything I see,
  E   G♯m F♯
Y'know I'm blind so why d'you disagree.

Bridge 1

    C♯   E5
So take me away 'cos I just don't want to stay
    G♯m
And the lies you make me say
     B/F♯
Are getting deeper every day.
G7
  These are crazy days but they make me shine,
E   F♯ F E
Time keeps rolling by. __

Chorus 1   B   C♯
All around the world, you've got to spread the word,
         E   B
Tell them what you heard, we're gonna make a better day.
                C♯
All around the world, you've got to spread the word,
         E   B A B♭
Tell them what you heard, you know it's gonna be O.K.

Verse 2

    B   **F♯**
So what you gonna do when the walls come falling down?
   E   **G♯m F♯**
You never move, you never make a sound.
B   **F♯**
Where you gonna swim with the riches that you found?
    E   **G♯m**   **F♯**
If you're lost at sea I hope that you've drowned.

Bridge 2   As Bridge 1

Chorus 2

                   B   **C♯**
All around the world, you've got to spread the word,
               E   **B**
Tell them what you heard, we're gonna make a better day.
                                   C♯
All around the world, you've got to spread the word,
               E   **B**
Tell them what you heard, you know it's gonna be O.K.

Chorus 3

     B   **C♯**
Na na na, na na na na,
       E   **B**
Na na na na, na na na.
           C♯
Na na na, na na na na,
       E   **B**   **E**
Na na na na, na na na, ___ ah.
B   **E**   **B**   **E**
Na - ah,   na - ah.
G   **E**
Na na na na, na na na na.
G   **E**
Na na na na, na na na na.
G   **E**
Na na na na, na na na na.
G
Na na na na, na na na na, na na na na na.

Chorus 4

                   C   **D**
All around the world, you've gotta spread the word,
                       Fadd9   **C**
Tell 'em what you heard, you're gonna make a better day.
                                     D
'Cos all around the world, you've gotta spread the word,
                       Fadd9   **C**
Tell 'em what you heard, you know it's gonna be O.K.

Chorus 5

                  C   **D**
All around the world, you've gotta spread the word,

                  Fadd⁹   **C**
Tell 'em what you heard, you're gonna make a better day.

                                         D
'Cos all around the world, you've gotta spread the word,

                  Fadd⁹   **C**
Tell 'em what you heard, you know it's gonna be O.K.

‖: **A**   **G**   **A**
      It's gonna be O.K. :‖

A   **G**   **A**
     It's gonna be O.K.   It's gonna be O.K.

Chorus 6

                  D   **E**
‖: All around the world, you've gotta spread the word,

                  G   **D**
Tell 'em what you heard, you're gonna make a better day.

                                       E
'Cos all around the world, you've gotta spread the word,

                  G   **D**
Tell 'em what you heard, you know it's gonna be O.K. :‖

Outro

D   **E**   **G**   **D**
La la la,   la la la,   la la, __ la la la la,   la. __

D   **E**   **G**   **D**
La la la,   la la la,   la la, __ la la la la,   la. __

            D   **E**
And I know what I know, what I know, what I know,

            G   **D**
Yeah, I know what I know, it's gonna be O.K.

            D   **E**
And I know what I know, what I know, what I know,

            G   **D**
Yeah, I know what I know, it's gonna be O.K.

            D   **E**
Yeah I know what I know, and I know what I know,

            G   **D**
Yeah, I know what I know, it's gonna be O.K.

            D   **E**
Yeah I know what I know, and I know what I know,

            G   **D**
Yeah, I know what I know, please don't cry, never say die.

‖: **D**   **E**   **G**   **D**
  La la la,   la la la,   la la, __ la la la la,   la. __ :‖

Repeat ad lib. to fade

All Around The World (Reprise)

Music by Noel Gallagher

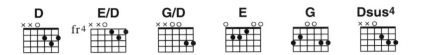

Intro | D | E/D | G/D | D ‖

Chorus 1 | D | E | G | D |
| D | E | G | D ‖

Chorus 2 | D | E | G | D |
| D | E | G | D ‖

Chorus 3 | D | E | G | D |
| D | E | G | D | D ‖

Outro ‖: D   Dsus⁴ | D   Dsus⁴ |
| D   Dsus⁴ | D   Dsus⁴ :‖ *Repeat to fade*

(As Long As They've Got) Cigarettes In Hell

Words & Music by
Noel Gallagher

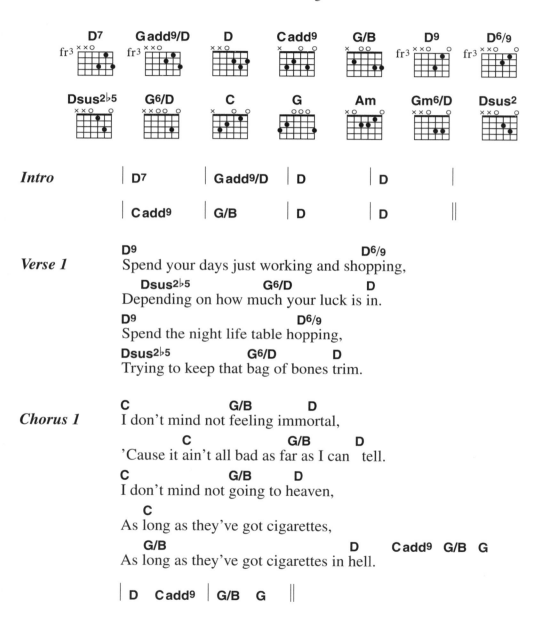

Intro

| D7 | Gadd9/D | D | D | |

| Cadd9 | G/B | D | D | ||

Verse 1

D9   D6/9
Spend your days just working and shopping,
     Dsus2♭5   G6/D   D
Depending on how much your luck is in.
D9   D6/9
Spend the night life table hopping,
Dsus2♭5   G6/D   D
Trying to keep that bag of bones trim.

Chorus 1

C   G/B   D
I don't mind not feeling immortal,
      C   G/B   D
'Cause it ain't all bad as far as I can   tell.
C   G/B   D
I don't mind not going to heaven,
     C
As long as they've got cigarettes,
    G/B   D   Cadd9 G/B G
As long as they've got cigarettes in hell.

| D Cadd9 | G/B G | ||

Verse 2

D9   D6/9
And by the time they start getting used to

Dsus2♭5   G6/D   D
The dirt that's forming on the window sill.

D9   D6/9
Now we know we've got ourselves into

Dsus2♭5   G6/D   D
The cage that keeps the mice on the treadmill.

Chorus 2

C   G/B   D
I don't mind not feeling immortal,

          C   G/B   D
'Cause it ain't all bad as far as I can   tell.

     C   G/B   D
And I don't mind not going to heaven,

     C
As long as they've got cigarettes,

   G/B   D   Cadd9 G/B G
As long as they've got cigarettes in hell.

| D   Cadd9 | G/B   G ‖

Solo ‖: D   Am | C   G | D   Am | C   G :‖ D | D   ‖

Chorus 3

Cadd9   G/B   D
I don't mind not feeling immortal,

        Cadd9   G/B   D
'Cause it ain't all bad as far as I can   tell.

Cadd9   G/B   D
I don't mind not going to heaven,

    Cadd9
As long as they've got cigarettes,

   G/B   D
As long as they've got cigarettes in hell.

Coda

| D7 | G6/D | Gm6/D | D |

| Cadd9 | G/B | D | D |

| Dsus2 | Dsus2 | Dsus2 | G/B Cadd9 | D   ‖

Angel Child

Words & Music by
Noel Gallagher

Intro | Am   ‖: Am | Em   Dsus2 :‖   *Play 4 times*

Verse 1
　　　　　　　Am　　　　Em　Dsus2
Won't you take me,
　　　　　　　Am　　　　　　　Em　　Dsus2
Won't you take me to the edge of night
　　　　　Am　　Em　Dsus2
And make me,
　　　　　　　Am　　　　　　　Em　　Dsus2
Won't you make me walk into the night.
　　　　　　　Am　　　　Em　Dsus2
And there'll be no eyes,
　　　　Am
No eyes that've seen such beauty
　　　　Em　　　　Dsus2
Would lose their sight.
　　　　　　　Am　　　Em　Dsus2
And there'll be no lies,
　　　　Am
No lies that you could tell me
　　Em　　　　Dsus2
To make things right.

Chorus 1
　　　　　　　Csus4　　　C
'Cause I gave all my money
　　　G　　　　　D
To people and things,
　　　　　　　Csus4　　　C
And the price I'm still paying
　　　G　　　　D
For the shit that it brings

cont.

           Csus4   **C**
Doesn't fill me with hope
         G   **Dsus2**
For the songs that you sing.
        Dsus2♭5   **G6/D**
Tonight this is your life,
    G   **D**
Angel Child.

| Am | Em Dsus2 | Am | Em Dsus2 ‖

            Am   **Em Dsus2**

Verse 2   When you find out,
            Am   **Em**
When you find out who you are
     Dsus2   **Am**   **Em Dsus2**
You know you'll be free
    Am   **Em Dsus2**
To see your own abil-i-ty.
         Am   **Em Dsus2**
But there'll be no eyes,
    Am
No eyes that've seen such beauty
    Em   **Dsus2**
Could lose their sight,
         Am   **Em Dsus2**
And there'll be no lies,
    Am
No lies that you could tell me
  Em   **Dsus2**
To make things right.

           Csus4   **C**

Chorus 2   'Cause I gave all my money
    G   **D**
To people and things,
        Csus4   **C**
And the price I'm still paying
    G   **D**
For the shit that it brings
        Csus4   **C**
Doesn't fill me with hope
    G   **Dsus2**
For the songs that you sing.

cont.

     Dsus2♭5   **G6/D**
Tonight this is your life,

G   **D**
Angel Child,

    Dsus2   **Dsus2♭5**   **G6/D**
Tonight this is your life, this is your life,

G   **D**   **G**
Angel Child of mine.

Solo   ‖: **Csus4 C** | **E7 Am** | **Csus4 C** | **E7 Am** :‖ *Play 3 times*

        | **Csus4 C** | **E7 Am** | **Csus4 C** | **G** ‖

Chorus 3

    Dsus2   **Dsus2♭5**   **G6/D**
Tonight this is your life, this is your life,

G   **D**
Angel Child.

    Dsus2   **Dsus2♭5**   **G6/D**
Tonight this is your life, this is your life,

G   **D**   **Dsus2**
Angel Child of mine.

          Dsus2♭5   **G6/D**
Tonight this is your life, this is your life,

G   **D**
Angel Child.

    Dsus2   **Dsus2♭5**   **G6/D**
Tonight this is your life, this is your life,

G   **D**
Angel Child.

Coda | **Dadd9** | **Dadd9♭5** | **Dsus4/2** | **D*** ‖

Be Here Now

Words & Music by
Noel Gallagher

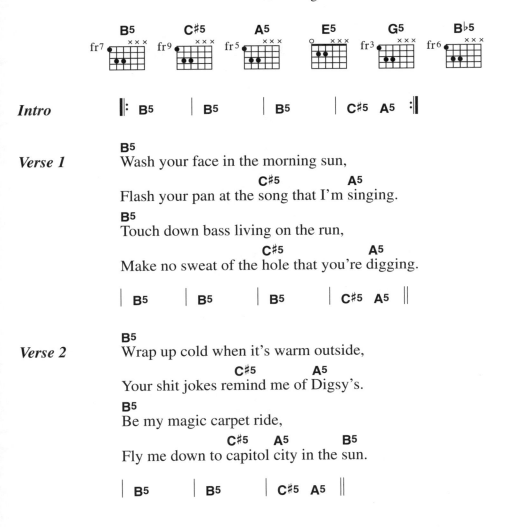

Intro ‖: B5 | B5 | B5 | C#5 A5 :‖

Verse 1
B5
Wash your face in the morning sun,
　　　　　　　　　　C#5　　　　**A5**
Flash your pan at the song that I'm singing.
B5
Touch down bass living on the run,
　　　　　　　　　　C#5　　　　**A5**
Make no sweat of the hole that you're digging.

| B5 | B5 | B5 | C#5 A5 ‖

Verse 2
B5
Wrap up cold when it's warm outside,
　　　　　　C#5　　　**A5**
Your shit jokes remind me of Digsy's.
B5
Be my magic carpet ride,
　　　　　　C#5　**A5**　　**B5**
Fly me down to capitol city in the sun.

| B5 | B5 | C#5 A5 ‖

Chorus 1

E5   **G5** **A5**
Kickin' up a storm

             E5   **G5** **A5**
From the day that I was born.

E5
Sing a song for me,

G5   **A5**
One ____ from "Let It Be"

G5
Open up yer eyes,

        A5   **B♭5** | **B5** | **B5** | **B5** | **C♯5** **A5** ‖
Get a grip of yourself inside.

Verse 3

B5
Wash your face in the morning sun,

               C♯5   **A5**
Flash your pan at the song that I'm singing.

B5
Touch down bass living on the run,

               C♯5   **A5**
Make no sweat of the hole that you're digging.

| **B5** | **B5** | **B5** | **C♯5** **A5** ‖

Chorus 2

E5   **G5** **A5**
Kickin' up a storm

             E5   **G5** **A5**
From the day that I was born.

E5
Sing a song for me,

G5   **A5**
One ____ from "Let It Be"

G5
Open up yer eyes,

        A5   **B♭5**
Get a grip of yourself inside.

Solo

| B⁵ | B⁵ | A⁵ | E⁵ | |

Inside.   *Get a grip inside.__*

| B⁵ | B⁵ | A⁵ | E⁵ | |

Get a grip inside. __   *You betcha!*

| B⁵ | B⁵ | A⁵ | E⁵ | |

| B⁵ | B⁵ | A⁵ | E⁵ ‖

| B⁵ | B⁵ | B⁵ | B⁵ ‖

Verse 4

B⁵
So wrap up cold when it's warm outside,

          C♯⁵   A⁵
Please sit down, you make me feel giddy.

B⁵
Be my magic carpet ride,

        C♯⁵   A⁵
Fly me down to capitol city.

Chorus 3

E⁵   G⁵   A⁵
Kickin' up a storm

       E⁵   G⁵   A⁵
From the day that I was born.

E⁵
Sing a song for me,

G⁵   A⁵
One__ from 'Let It Be'

G⁵
Open up yer eyes,

      A⁵   B♭⁵
Get a grip of yourself inside.

Outro

| B⁵ | B⁵ | A⁵ | E⁵ | |

Get a grip inside.__

‖: B⁵ | B⁵ | A⁵ | E⁵ :‖

Get a grip inside.__   *Get a grip inside.*

‖: B⁵ | B⁵ | A⁵ | E⁵ :‖

C'mon, c'mon etc.   *Yeah, yeah, yeah.*

‖: B⁵ | B⁵ | A⁵ | E⁵ :‖

Yeah, yeah, yeah.   *Yeah, yeah, yeah.*

| B⁵ | B⁵ | A⁵ | E⁵ |

C'mon, c'mon etc.   *Yeah, yeah, yeah.*

| B⁵ ‖

Bonehead's Bank Holiday

Words & Music by
Noel Gallagher

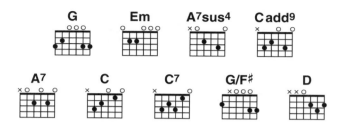

Capo first fret

Intro
‖: G   Em | A⁷sus⁴   Cadd⁹ | G   Em | A⁷sus⁴   Cadd⁹ :‖

Verse 1

G   Em   A⁷sus⁴
You know I need a little break to get away for a holiday,
Cadd⁹   G
So I can see the sun,
            Em   A⁷sus⁴   Cadd⁹
'Cause in the sun they say it's fun, if you get some.
            G   Em   A⁷sus⁴
Well I could take a train or a boat or an aeroplane,
Cadd⁹   G   Em   A⁷sus⁴
Or I could steal a car, 'cause in a car you can go far,
            Cadd⁹   G
It just depends what kind of car you are.

Chorus 1

            A⁷   C   G
La la la, la la la la, la la la, la,

What kind of car you are.
            A⁷   C   G
La la la, la la la la, la la la, la.

Verse 2

            G   Em   A⁷sus⁴
I met funny looking girl on a crowded beach in Spain,
            Cadd⁹   G
Her name was Avaline,
            Em   A⁷sus⁴   Cadd⁹
She said she came to Spain to have a good time,
            G   Em   A⁷sus⁴
But she was with her mum who had a face like a nun in pain.

cont.

        Cadd⁹   **G**   **Em**   **A⁷sus⁴**
She said her name was Dot, she didn't half talk a lot,

        Cadd⁹   **G**
I couldn't tell if she was mad or not.

Chorus 2

        A⁷   **C**   **G**
La la la, la la la la, la la la, la,

Mad or not,
        A⁷   **C**   **G**
La la la, la la la la, la la la, la.

Middle

        C⁷   **G**
Don't you know, I should have stayed in England,

           C⁷   **G**
On my polluted beach with all my special friends.
        C⁷   **G**
Don't you know, I should have stayed in England,
       G/F♯   **Em**
With me big house, and me big car,
        A⁷sus⁴   **Cadd⁹** **D**
And all me friends there at the bar, la la la.

Verse 3   As Verse 1

Chorus 3

        A⁷   **C**   **G**
La la la, la la la la, la la la, la,

What kind of car you are.
        A⁷   **C**   **G**
La la la, la la la la, la la la, la,

What kind of car you are.
        A⁷   **C**   **G**
La la la, la la la la, la la la, la,

What kind of car you are.
        A⁷   **C**   **G**
La la la, la la la la, la la la, la.

Outro | **G** | **G** | **D** | **G** |

Double time, slightly faster

       | **D** | **G C G C** | **G C G C** | **G**   ‖

Bring It On Down

Words & Music by
Noel Gallagher

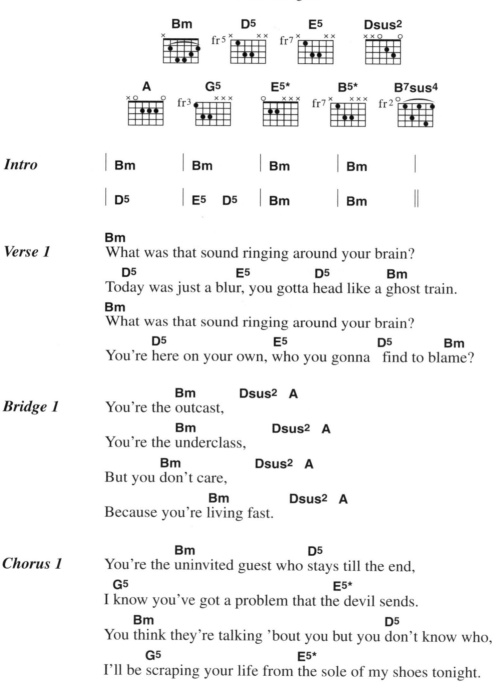

Intro

| Bm | Bm | Bm | Bm | |

| D5 | E5 D5 | Bm | Bm | ||

Verse 1

Bm
What was that sound ringing around your brain?
    D5   E5   D5   Bm
Today was just a blur, you gotta head like a ghost train.
Bm
What was that sound ringing around your brain?
     D5   E5   D5   Bm
You're here on your own, who you gonna   find to blame?

Bridge 1

            Bm   Dsus2 A
You're the outcast,
            Bm   Dsus2 A
You're the underclass,
         Bm   Dsus2 A
But you don't care,
            Bm   Dsus2 A
Because you're living fast.

Chorus 1

            Bm   D5
You're the uninvited guest who stays till the end,
  G5   E5*
I know you've got a problem that the devil sends.
        Bm   D5
You think they're talking 'bout you but you don't know who,
    G5   E5*
I'll be scraping your life from the sole of my shoes tonight.

Solo   ‖: Bm | D5 | G5 | E5*   :‖

‖: Bm | Bm | Bm | Bm   :‖

Middle

B5
Bring it on down,

Bring it on down for me.
    Dsus2
Your head in a fish tank,
    E5   D5   B5
Your body and mind can't breathe.
B5
Bring it on down,

Bring it on down for me.
    Dsus2
Your head in a fish tank,
    E5   D5   B5
Your body and mind can't breathe.

Bridge 2

         Bm   Dsus2 A
You're the outcast,
         Bm   Dsus2 A
You're the underclass,
        Bm   Dsus2 A
But you don't care,
           Bm   Dsus2 A
Because you're living fast.

Chorus 2

          Bm   D5
And you're the uninvited guest who stays till the end,
 G5   E5*
I know you've got a problem that the devil sends.
    Bm   D5
You think they're talking 'bout you but you don't know who,
    G5   E5*
I'll be scraping your life from the sole of my shoes tonight.

Outro   ‖: Bm | D5 | G5 | E5*   :‖ B7sus4 ‖

Play 12 times

Carry Us All

Words & Music by
Noel Gallagher

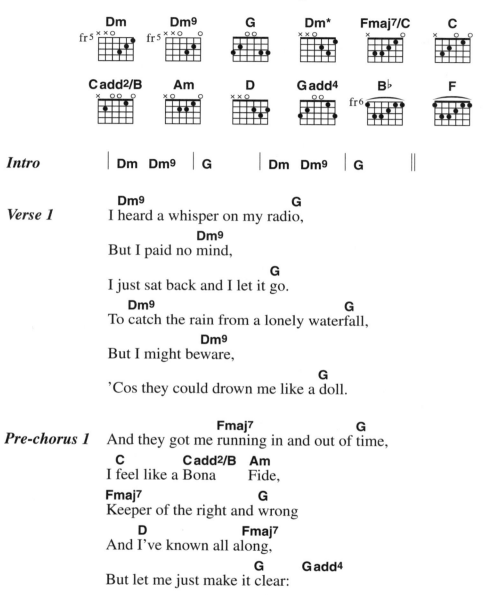

Intro | Dm   Dm9 | G | Dm   Dm9 | G ||

Verse 1

      Dm9   G
I heard a whisper on my radio,
             Dm9
But I paid no mind,

                  G
I just sat back and I let it go.
      Dm9   G
To catch the rain from a lonely waterfall,
           Dm9
But I might beware,

                          G
'Cos they could drown me like a doll.

Pre-chorus 1

               Fmaj7   G
And they got me running in and out of time,
   C   Cadd2/B Am
I feel like a Bona   Fide,
Fmaj7   G
Keeper of the right and wrong
          D   Fmaj7
And I've known all along,
                    G   Gadd4
But let me just make it clear:

Chorus 1

C   Cadd2/B   Am
Everybody's gone for quick, sure fire solution,
    B♭   F   G   Am Fmaj7
But faith in any god is gonna bury us all.
C   Cadd2/B Am
No-one's gonna fight in a ten-bob revolution,
    B♭   F   G   Am
Have faith in what you've got and it will carry us all,
G
Carry us all.

Link

| Dm9 | G | Dm9 | G ||
(all.)

Verse 2

Dm9   G
I slip my skin as the prophets reappear,
           Dm9
But I pay no mind.
                    G
I'm just trying to persevere
       Dm9   G
With the sins I have to shake from me within,
         Dm9
Though I might beware,
                   G
'Cos they're just trying to wear me thin.

Pre-chorus 2

              Fmaj7   G
And they got me running in and out of time
   C   Cadd2/B Am
I feel like a Bona   Fide
Fmaj7   G
Keeper of the right and wrong
     D   Fmaj7
And I've known all along,
                  G   Gadd4
But let me just make it clear:

Chorus 2

C   Cadd2/B   Am
Everybody's gone for quick, sure fire solution,
    B♭   F   G   Am Fmaj7
But faith in any god is gonna bury us all.

33

      C   **Cadd2/B**   **Am**
No-one's gonna fight in a ten-bob revolution,
        B♭   **F**   **G**   **Am**
Have faith in what you've got and it will carry us all,
G
Carry us all.

Bridge

| Dm* G | Dm* G | Dm* G |
(all.)

| D | Fmaj7 | G | Gadd4 ||
Ah. _____

Chorus 3

C   **Cadd2/B**   **Am**
Everybody's gone for quick, sure fire solution,
        B♭   **F**   **G**   **Am**   **Fmaj7**
But faith in any god is gonna bury us all.
C   **Cadd2/B**   **Am**
No-one's gonna fight in a ten-bob revolution,
        B♭   **F**   **G**   **Am**
Have faith in what you've got and it will carry us all,
G
Carry us all,

| Dm* G | Dm* G |
(all,)   Carry us all.

| Dm* G | Dm* G | C |
(all.)

Champagne Supernova

Words & Music by
Noel Gallagher

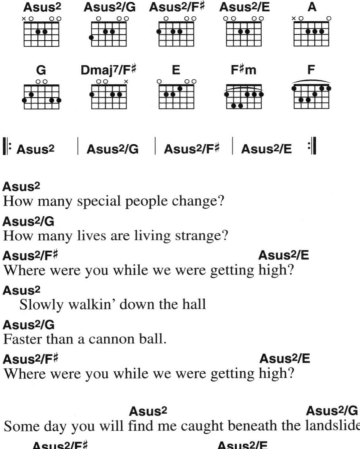

Intro |: Asus² | Asus²/G | Asus²/F♯ | Asus²/E :|

Verse 1

Asus²
How many special people change?

Asus²/G
How many lives are living strange?

Asus²/F♯   **Asus²/E**
Where were you while we were getting high?

Asus²
    Slowly walkin' down the hall

Asus²/G
Faster than a cannon ball.

Asus²/F♯   **Asus²/E**
Where were you while we were getting high?

Chorus 1

                    Asus²   **Asus²/G**
Some day you will find me caught beneath the landslide

        Asus²/F♯   **Asus²/E**
In a champagne supernova in the sky.

                    Asus²   **Asus²/G**
Some day you will find me caught beneath the landslide

        Asus²/F♯
In a champagne supernova,

        Asus²/E
A champagne supernova in the (sky.)

| **Asus²** | **Asus²/G** | **Asus²/F♯** | **Asus²/E** ||
sky.

Verse 2

Asus²
Wake up at dawn and ask her why

Asus²/G
A dreamer dreams, she never dies.

Asus²/F♯   **Asus²/E**
Wipe that tear away now from your eyes.

Asus²
   Slowly walkin' down the hall

Asus²/G
Faster than a cannon ball.

Asus²/F♯   **E**
Where were you while we were getting high?

Chorus 2

                  A   **G**
Some day you will find me caught beneath the landslide

   Dmaj/F♯   **E**
In a champagne supernova in the sky.

                  A   **G**
Some day you will find me caught beneath the landslide

   Dmaj⁷/F♯
In a champagne supernova,

   E
A champagne supernova.

Bridge 1

        G   **A**
'Cause people believe that they're gonna get away from the summer,

        G   **D**
But you and I, we live and die, the world's still spinning round.

        E
We don't know why, why, why, why, (why.)

| **Asus²** | **Asus²/G** | **Asus²/F♯** | **Asus²/E** |
why.
| **Asus²** | **Asus²/G** | **Asus²/F♯** | **Asus²/E** ‖

Verse 3

Asus²
How many special people change?

Asus²/G
How many lives are living strange?

Asus²/F♯   **Asus²/E**
Where were you while we were getting high?

Asus²
   Slowly walkin' down the hall

Asus²/G
Faster than a cannon ball.

Asus²/F♯   **E**
Where were you while we were getting high?

Chorus 3

              A   **G**
Some day you will find me caught beneath the landslide

      Dmaj/F♯   **E**
In a champagne supernova in the sky.

              A   **G**
Some day you will find me caught beneath the landslide

      Dmaj⁷/F♯
In a champagne supernova,

  E
A champagne supernova.

Bridge 2

        G   **A**
'Cause people believe that they're gonna get away from the summer,

        G   **D**
But you and I, we live and die, the world's still spinning round.

               E
We don't know why, why, why, why, (why.)

Solo

| A | G | F♯m | F G | A | G | F♯m | F G |

why.   Na na

‖: A | G | F♯m | F G :‖ G | F♯m ‖

na,   na na,   na na,   na na   na na,   na na

Link

| Asus² | Asus²/G | Asus²/F♯ | Asus²/E |

na.

| Asus² | Asus²/G | Asus²/F♯ | Asus²/E ‖

Coda

Asus²
How many special people change?

Asus²/G
How many lives are living strange?

Asus²/F♯   **Asus²/E**
Where were you while we were getting high?

               Asus²   **Asus²/G**
‖: We were getting high, we were getting high,

                Asus²/F♯   **Asus²/E**
We were getting high, we were getting high, :‖

We were getting (high.)

| Asus² | Asus²/G | Asus²/F♯ | F | G | A ‖

high.

Cast No Shadow

Words & Music by
Noel Gallagher

Asus⁴ **G** **Em** **D** **C**

Intro   ‖: **Asus⁴** | **Asus⁴** | **G** | **G** :‖

Verse 1
Asus⁴
Here's a thought for every man

                                                     G
Who tries to understand what is in his hands.

     Asus⁴
He walks along the open road of love and life

                  G
Surviving if he can.

Em   **D**
Bound with all the weight

            C   **G**
Of all the words he tried to say.

Em   **D**
Chained to all the places

            C   **G**
That he never wished to stay.

Em   **D**
Bound with all the weight

            C   **G**
Of all the words he tried to say.

Em   **D**   **C**
As he faced the sun he cast no shadow.

Chorus 1
G   **Asus⁴**   **C** | **Em** **D** |
As they took his soul they stole his pride,
G   **Asus⁴**   **C** | **Em** **D** |
As they took his soul they stole his pride,
G   **Asus⁴**   **C** | **Em** **D** |
As they took his soul they stole his pride,
Em   **D**   **C** | **C** | **C** | **Asus⁴** ‖
As he faced the sun he cast no shadow.

Verse 2   As Verse 1

Chorus 2

G   Asus⁴   C | Em   D |
As they took his soul they stole his pride,
G   Asus⁴   C | Em   D |
As they took his soul they stole his pride,
G   Asus⁴   C | Em   D |
As they took his soul they stole his pride,
G   Asus⁴   C | Em   D |
As they took his soul they took his pride.

Outro

Em   D   C | C |
As he faced the sun he cast no shadow,
Em   D   C | C |
As he faced the sun he cast no shadow,
Em   D   C | C |
As he faced the sun he cast no shadow,
Em   D   C | C |
As he faced the sun he cast no shadow.

| C | C | C | G   ‖

Cigarettes & Alcohol

Words & Music by
Noel Gallagher

E5   F♯   A5   F♯7add11   Dsus2   A   Cadd9   B7

Intro

| E5 | E5 | E5 | E5 | E5 | E5 |

| F♯ | A5 | E5 | E5 | E5 | E5 |

Verse 1

E5
Is it my imagination
      F♯7add11   A5   E5 | E5 | E5 | E5 |
Or have I finally found something worth living for?
E5
I was looking for some action
      F♯7add11   A5   E5 | E5 | E5 | E5 |
But all I found was cigarettes and alcohol.

Bridge 1

A5   E5
You could wait for a lifetime
A5   E5
To spend your days in the sunshine,
A5   E5
You might as well do the white-line.
      Dsus2   A
'Cause when it comes on top:

Chorus 1

      E5   Dsus2
You gotta make it happen,
      A   E5   Dsus2
You gotta make it happen,
      A   E5   Dsus2
You gotta make it happen,
      A   E5 | Dsus2 A | Cadd9 | B7 |
You gotta make it happen.

Instrumental

| E5 | E5 | E5 | E5 | E5 | E5 |

| F♯ | A5 | E5 | E5 | E5 | E5 |

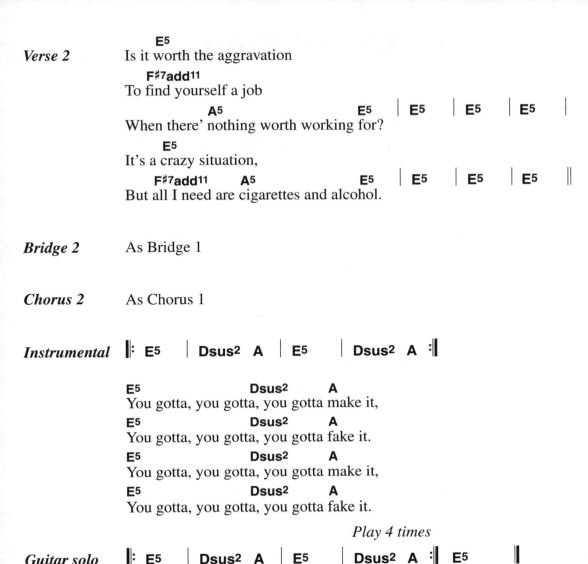

Verse 2

      E5

Is it worth the aggravation

      F♯7add11

To find yourself a job

        A5   **E5** | **E5** | **E5** | **E5** |

When there' nothing worth working for?

      E5

It's a crazy situation,

      F♯7add11   **A5**   **E5** | **E5** | **E5** | **E5** ‖

But all I need are cigarettes and alcohol.

Bridge 2   As Bridge 1

Chorus 2   As Chorus 1

Instrumental ‖: **E5** | **Dsus2 A** | **E5** | **Dsus2 A** :‖

E5   **Dsus2**   **A**

You gotta, you gotta, you gotta make it,

E5   **Dsus2**   **A**

You gotta, you gotta, you gotta fake it.

E5   **Dsus2**   **A**

You gotta, you gotta, you gotta make it,

E5   **Dsus2**   **A**

You gotta, you gotta, you gotta fake it.

Play 4 times

Guitar solo ‖: **E5** | **Dsus2 A** | **E5** | **Dsus2 A** :‖ **E5** ‖

Cloudburst

Words & Music by
Noel Gallagher

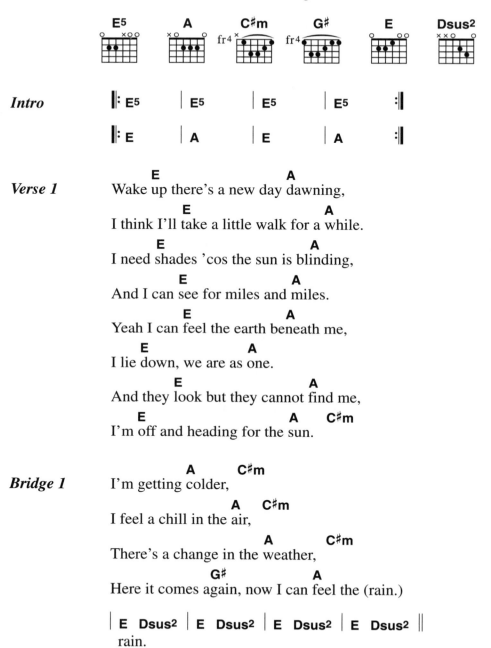

Intro

‖: E5 | E5 | E5 | E5 :‖

‖: E | A | E | A :‖

Verse 1

           E   A
Wake up there's a new day dawning,
               E   A
I think I'll take a little walk for a while.
           E   A
I need shades 'cos the sun is blinding,
           E   A
And I can see for miles and miles.
             E   A
Yeah I can feel the earth beneath me,
          E   A
I lie down, we are as one.
             E   A
And they look but they cannot find me,
        E   A   C♯m
I'm off and heading for the sun.

Bridge 1

            A   C♯m
I'm getting colder,
             A   C♯m
I feel a chill in the air,
                A   C♯m
There's a change in the weather,
          G♯   A
Here it comes again, now I can feel the (rain.)

| E Dsus2 | E Dsus2 | E Dsus2 | E Dsus2 ‖
rain.

Chorus 1

Dsus2
The wind that brings on change,

Is taking me over,

The wind that brings on the rain,

N.C.
Is making me older.

‖: E | A | E | A   :‖

Verse 2

        E   **A**
Down town the moon is shining,
        E   **A**
I'm gonna dress it up in style.
        E   **A**
My business everybody is minding,
        E   **A**   **C♯m**
Oh I need to get away for a while.

Bridge 2

            A   **C♯m**
I'm getting colder,
                A   **C♯m**
I feel a chill in the air,
                A   **C♯m**
There's a change in the weather,
            G♯   **A**
Here it comes again, now I can feel the (rain.)

| E Dsus2 | E Dsus2 | E Dsus2 | E Dsus2 ‖
rain.   Oh yeah.

Chorus 3

Dsus2
The wind that brings on change,

Is taking me over,

The wind that brings on the rain,

N.C.
Is making me older.

‖: E | A | E | A   :‖   *Play 8 times*

| E   ‖

Columbia

Words & Music by
Noel Gallagher

A	D	C	Dsus2

Intro ‖: A | A | D | C :‖ *Play 4 times*

Verse 1

A
There we were, now here we are,
D   **C**
All this confusion, nothing's the same to me.
A
There we were, now here we are,
D   **C**
All this confusion, nothing's the same to me.

Chorus 1

A
I can't tell you the way I feel,
            D   **C**
Because the way I feel is oh so new to me.
A
I can't tell you the way I feel,
            D   **C**
Because the way I feel is oh so new to me.

Link ‖: A | A | D | C :‖

Verse 2

A
What I heard is not what I hear,
        D   **C**
I can see the signs but they're not very clear.
A
What I heard is not what I hear,
        D   **C**
I can see the signs but they're not very clear.

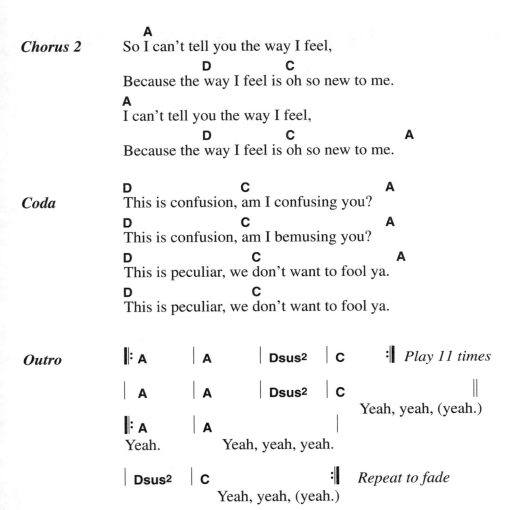

Chorus 2

   A

So I can't tell you the way I feel,

          D   C

Because the way I feel is oh so new to me.

   A

I can't tell you the way I feel,

          D   C   A

Because the way I feel is oh so new to me.

Coda

   D   C   A

This is confusion, am I confusing you?

   D   C   A

This is confusion, am I bemusing you?

   D   C   A

This is peculiar, we don't want to fool ya.

   D   C

This is peculiar, we don't want to fool ya.

Outro

‖: A | A | Dsus2 | C   :‖ *Play 11 times*

| A | A | Dsus2 | C   ‖

                                    Yeah, yeah, (yeah.)

‖: A | A |

Yeah.   Yeah, yeah, yeah.

| Dsus2 | C   :‖ *Repeat to fade*

                   Yeah, yeah, (yeah.)

D'Yer Wanna Be A Spaceman?

Words & Music by
Noel Gallagher

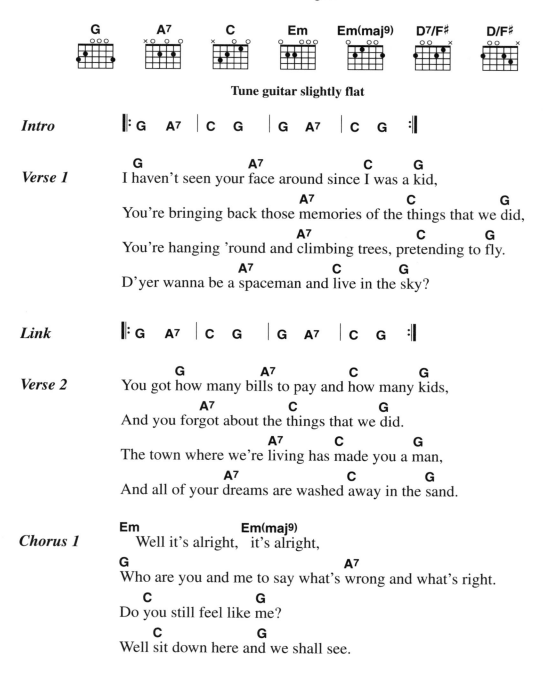

Tune guitar slightly flat

Intro   ‖: G   A⁷ | C   G | G   A⁷ | C   G :‖

Verse 1
  G   A⁷   C   G
I haven't seen your face around since I was a kid,
                                A⁷   C   G
    You're bringing back those memories of the things that we did,
                             A⁷   C   G
    You're hanging 'round and climbing trees, pretending to fly.
                        A⁷   C   G
    D'yer wanna be a spaceman and live in the sky?

Link   ‖: G   A⁷ | C   G | G   A⁷ | C   G :‖

Verse 2
                 G   A⁷   C   G
    You got how many bills to pay and how many kids,
                     A⁷   C   G
    And you forgot about the things that we did.
                              A⁷   C   G
    The town where we're living has made you a man,
                           A⁷   C   G
    And all of your dreams are washed away in the sand.

Chorus 1
       Em   Em(maj9)
      Well it's alright,   it's alright,
   G   A⁷
   Who are you and me to say what's wrong and what's right.
         C   G
   Do you still feel like me?
         C   G
   Well sit down here and we shall see.

cont.

    C   G
We can talk and find common ground,

         A⁷
And we can just forget about feeling down,

D⁷/F♯   D/F♯
We can just forget about life in this (town.)

Link

| G A⁷ | C G | G A⁷ | C G |
  town. _____

| G A⁷ | C G | G A⁷ | C G ‖

Verse 3

    G   A⁷   C   G
It's funny how your dreams change as you're growing old,

                   A⁷   C   G
You don't wanna be no spaceman, you just want gold.

            A⁷   C   G
All the dream stealers are lying in wait,

                 A⁷   C   G
But if you wanna be a spaceman it's still not too late.

Chorus 2

Em   Em(maj⁹)
  Well it's alright,   and it's alright,

G   A⁷
Who are you and me to say what's wrong and what's right.

      C   G
Do you still feel like me?

      C   G
Well sit down here and we shall see.

C   G
We can talk and find common ground,

         A⁷
And we can just forget about feeling down,

D⁷/F♯   D/F♯
We can just forget about life in this (town.)

Coda

| G A⁷ | C G | G A⁷ | C G |
  town. _____

| G A⁷ | C G | G A⁷ | C G |

| A⁷ | A⁷ | C | C | G |
  Aah. _____

D'You Know What I Mean?

Words & Music by
Noel Gallagher

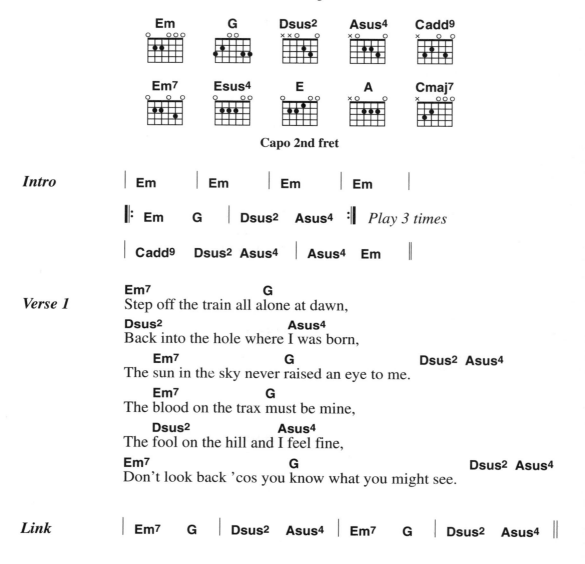

| Em | G | Dsus2 | Asus4 | Cadd9 |

| Em7 | Esus4 | E | A | Cmaj7 |

Capo 2nd fret

Intro | Em | Em | Em | Em |

‖: Em　G | Dsus2　Asus4 :‖ *Play 3 times*

| Cadd9　Dsus2　Asus4 | Asus4　Em ‖

Verse 1

Em7　　　　　　　G
Step off the train all alone at dawn,

Dsus2　　　　　　Asus4
Back into the hole where I was born,

　　Em7　　　　　　　　G　　　　　　　　Dsus2　Asus4
The sun in the sky never raised an eye to me.

　　Em7　　　　　　G
The blood on the trax must be mine,

　　Dsus2　　　　　　Asus4
The fool on the hill and I feel fine,

Em7　　　　　　　　G　　　　　　　　　　Dsus2　Asus4
Don't look back 'cos you know what you might see.

Link | Em7　G | Dsus2　Asus4 | Em7　G | Dsus2　Asus4 ‖

Verse 2

Em⁷   **G**
Look into the wall of my minds eye,

Dsus²   **Asus⁴**
I think I know but I don't know why

   Em⁷   **G**   **Dsus² Asus⁴**
The questions are the answers you might need.

Em⁷   **G**
Coming in a mess going out in style,

 Dsus²   **Asus⁴**
I ain't good looking but I'm someone's child,

Em⁷   **G**   **Dsus² Asus⁴**
No-one can give me the air that's mine to breathe.

Bridge 1

   Esus⁴ E   **Dsus²**   **A**
I met my maker, I made him cry,

    Esus⁴ E   **Dsus²**   **A**
And on my shoulder he asked me why,

   Esus⁴ E   **Dsus²**   **A**
His people won't fly through the storm,

    Cmaj⁷   **Dsus²**   **A**
I said, "Listen up man, they don't even know you're born".

Chorus 1

Em   **G**   **Dsus²**
All my people right here, right now,

A   **Em G**   **Dsus² A**
  D'you know what I mean? _____ Yeah, yeah.

Em   **G**   **Dsus²**
All my people right here, right now,

A   **Em G**   **Dsus² A**
  D'you know what I mean? _____ Yeah, yeah.

Em   **G**   **Dsus²**
All my people right here, right now,

A   **Em G**   **Dsus² A**
  D'you know what I mean? _____ Yeah, yeah.

      Em   **G**   **Dsus² A**
Yeah, yeah,

      Em   **G**   **Dsus² A**
Yeah, yeah.

Verse 3

Em7   G
I don't really care for what you believe,

   Dsus2   Asus4
So open up your fist or you won't receive

     Em7   G   Dsus2 Asus4
The thoughts and the words of every man you'll need.

    Em7   G
So get up off the floor and believe in life,

   Dsus2   Asus4
No-one's ever gonna ever ask you twice,

Em7   G   Dsus2 Asus4
Get on the bus and bring it on home to me.

Bridge 2

   Esus4   E   Dsus2   A
I met my maker, I made him cry,

    Esus4 E   Dsus2   A
And on my shoulder he asked me why,

   Esus4 E   Dsus2   A
His people won't fly through the storm,

    Cmaj7   Dsus2   A
I said, "Listen up man, they don't even know you're born".

Chorus 2

Em   G   Dsus2
All my people right here, right now,

A   Em G   Dsus2 A
  D'you know what I mean? _____   Yeah, yeah.

Em   G   Dsus2
All my people right here, right now,

A   Em G   Dsus2 A
  D'you know what I mean? _____   Yeah, yeah.

Em   G   Dsus2
All my people right here, right now,

A   Em G   Dsus2 A
  D'you know what I mean?   Yeah, yeah,   yeah,

Em   G   Dsus2 A ————
Yeah,   yeah,

Em   G   Dsus2 A
Yeah,   yeah,

Em   G   Dsus2 A
Yeah,   yeah.

Middle | Cmaj⁷   Dsus² Cmaj⁷ | Cmaj⁷   Dsus² Cmaj⁷ |

| Cmaj⁷   Dsus² Asus⁴ | Asus⁴ | Asus⁴   ‖

Solo   ‖: Em   G | Dsus²   Asus⁴ | Em   G | Dsus²   Asus⁴ :‖

Chorus 3
Em   G   Dsus²
All my people right here, right now,
A   Em G   Dsus² A
  D'you know what I mean? _____   Yeah, yeah.
Em   G   Dsus²
All my people right here, right now,
A   Em G   Dsus² A
  D'you know what I mean? _____   Yeah, yeah.
Em   G   Dsus²
All my people right here, right now,
A   Em G   Dsus² A
  D'you know what I mean? _____   Yeah, yeah.
        Em   G   Dsus²   A
Yeah, yeah,   yeah, yeah,
        Em   G   Dsus²   A
Yeah, yeah,   yeah, yeah.

Outro | Cmaj⁷   Dsus² Cmaj⁷ | Cmaj⁷   Dsus² Cmaj⁷ |

| Cmaj⁷   Dsus² Em ‖

51

Digsy's Dinner

Words & Music by
Noel Gallagher

Intro   ‖: A | C#7 | D | E |
| D | E | D7 | A D/A A :‖ A

Verse 1
                   C#7
What a life it would be
          D   E7
If you would come to mine for tea,
          D   E7
I'll pick you up at half past three,
          D7   A D/A A
We'll have lasa — gne.
                 C#7   D
I'll treat you like a queen,
                       E7
I'll give you strawberries and cream,
              D   E7
Then your friends will all go green
          D7   A D/A A
For my lasa — gne.

Chorus 1
        E   A D/A A | A D/A
These could be the best days of our lives,
        A   Bm7   C#7
But I don't think we've been living very wise,
             A
Oh no! no!

Verse 2

　　　　　　　　(A)　　　　　　　　**C♯7**
What a life it would be
　　　　　　　　　　　D　　　　　　　　　　**E7**
If you would come to mine for tea,
　　　　　　　　　　　D　　　　　　　　　　**E7**
I'll pick you up at half past three,
　　　　　　　　　　D7　　**A D/A A**
We'll have lasa — gne.

Instrumental　　│ **A**　　　　│ **C♯7**　　│ **D**　　　│ **E7**　　　│

　　　　　　　　　　│ **D**　　　│ **E7**　　　│ **D7**　　　│ **A D/A A** ‖

Chorus 2　　As Chorus 1

Verse 3

　　　　　　　　(A)　　　　　　　　**C♯7**
What a life it would be
　　　　　　　　　　　D　　　　　　　　　　**E7**
If you would come to mine for tea,
　　　　　　　　　　　D　　　　　　　　　　**E7**
I'll pick you up at half past three,
　　　　　　　　　　D7　　**A D/A A**
We'll have lasa — gne.
　　　　　　　　　　　C♯7　　**D**
I'll treat you like a queen,

　　　　　　　　　　　　　　　　E
I'll give you strawberries and cream,
　　　　　　　　　　D　　　　　　　**E**
Then your friends will all go green,
　　　　　　　　　　D　　　　　　　**E**
Then your friends will all go green,
　　　　　　　　　　D　　　　　　　**E**
Then your friends will all go green
　　　　　　　D7　　**A**
For my lasa — gne.

Don't Look Back In Anger

Words & Music by
Noel Gallagher

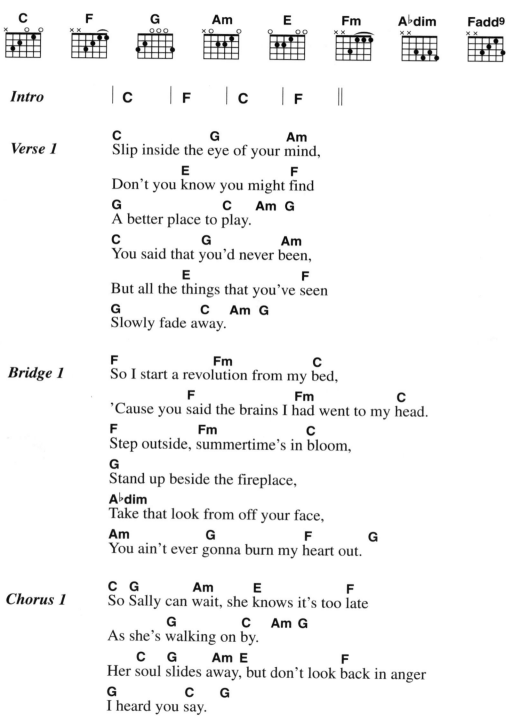

Intro
| C | F | C | F ||

Verse 1

C   G   Am
Slip inside the eye of your mind,
      E   F
Don't you know you might find
G   C Am G
A better place to play.
C   G   Am
You said that you'd never been,
     E   F
But all the things that you've seen
G   C Am G
Slowly fade away.

Bridge 1

F   Fm   C
So I start a revolution from my bed,
    F   Fm   C
'Cause you said the brains I had went to my head.
F   Fm   C
Step outside, summertime's in bloom,
G
Stand up beside the fireplace,
A♭dim
Take that look from off your face,
Am   G   F   G
You ain't ever gonna burn my heart out.

Chorus 1

C G   Am   E   F
So Sally can wait, she knows it's too late
     G   C Am G
As she's walking on by.
   C G   Am E   F
Her soul slides away, but don't look back in anger
G   C G
I heard you say.

Instrumental | Am E | F G | C Am G ||

Verse 2

C   G   Am
Take me to the place where you go,

            E   F
Where nobody knows

G   C Am G
If it's night or day.

C   G   Am
Please don't put your life in the hands

       E   F
Of a rock 'n' roll band

G   C Am G
Who'll throw it all away.

Bridge 2

As Bridge 1

Chorus 2

C G   Am   E   F
So Sally can wait, she knows it's too late

            G   C Am G
As she's walking on by.

       C   G   Am E   F
Her soul slides away, but don't look back in anger

G   C Am G
I heard you say.

Guitar solo

Chords as Bridge

Chorus 3

As Chorus 2

Chorus 4

C G   Am   E   F
So Sally can wait, she knows it's too late

            G   C Am G
As she's walking on by.

       C   G   Am   Fadd9
Her soul slides away, but don't look back in anger,

        Fm7
Don't look back in anger

             C   G | Am E | F Fm |
I heard you say.

          C
It's not too late.

Don't Go Away

Words & Music by
Noel Gallagher

Intro

‖: Am Am7 | Gsus4 | Fadd9 | Dm Fadd9 :‖

Verse 1

    Am   **Am7**
A cold and frosty morning,

        Gsus4
There's not a lot to say,

       Fadd9   **Dm** **Fadd9**
About the things caught in my mind.

      Am   **Am7**
And as the day was dawning

    Gsus4
My plane flew away,

       Fadd9   **Dm** **Fadd9**
With all the things caught in my mind.

Bridge 1

Dm7/4
  And I wanna be there when you're   **Fadd9**
  And I wanna be there when you're   coming down,

Dm7/4   **Fadd9**
  And I wanna be there when you hit the ground.

Chorus 1

  Gsus4   **C**   **C2/B**
So don't go away, say what you say,

       *Am7
Say that you'll stay,

        C/G   **Fmaj7**
Forever and a day, in the time of my life.

           G   **Am**
'Cos I need more time, yes I need more time,

      G   **Fmaj7**
Just to make things right.

Verse 2

    Am   **Am7**
Damn my situation

        Gsus4
And the games I have to play

           Fadd9   **Dm**   **Fadd9**
With all the things caught in my mind.

    Am   **Am7**
Damn my education,

        Gsus4
I can't find the words to say,

           Fadd9   **Dm**   **Fadd9**
About the things caught in my mind.

Bridge 2

    Dm7/4   **Fadd9**
  And I wanna be there when you're   coming down,

    Dm7/4   **Fadd9**
  And I wanna be there when you hit the ground.

Chorus 2

      Gsus4   **C**   **C2/B**
So don't go away, say what you say,

         *Am7
Say that you'll stay,

        C/G   **Fmaj7**
Forever and a day, in the time of my life.

          G   **Am**
'Cos I need more time, yes I need more time,

     G   **Fmaj7**
Just to make things right.

Middle

    Fm   **C**   **C2/B** **Am**
  Me and you, what's going on?

    F   **Fm**
All we seem to know is how to show

         C   **C2/B** **Am** |
The feelings that are wrong.

| **C/G**   **F** | **F** | **G** ||

Chorus 3   As Chorus 2

Chorus 4

       Gsus⁴   **C**   **C²/B**
So don't go away, say what you say,

            *Am⁷
Say that you'll stay,

               C/G   **Fmaj⁷**
Forever and a day, in the time of my life.

                   G   **Am**
'Cos I need more time, yes I need more time,

        G   **Fmaj⁷**
Just to make things right.

              Am
Yes, I need more time

        G   **Fmaj⁷**
Just to make things right.

              Am
Yes, I need more time

        G   **Fmaj⁷**
Just to make things right.

G
  So don't go away.

Outro

| **C** | **C²/B** | **Am** | **G** | **Fadd⁹** | **G** | |

‖: **G**   **G/B**   **Am** | **Am** :‖   *Play 3 times*

| **G** | **G** | **Cmaj⁷** ‖

Fade In-Out

Words & Music by
Noel Gallagher

D5 **A7sus4** **G/B** **Csus2** **F6sus2** **G5**

Tune 6th string down to D

Intro   ‖: D5 | D5 | D5 | D5 :‖ *Play 4 times ad lib.*

Verse 1
D5
Get on the rollercoaster,
A7sus4
The fair's in town today,
      G/B   **Csus2**   **D5**
Y'gotta be ___ bad enough to beat the brave.

    D5
So get on the helter skelter,
A7sus4
Bowl into the fray,
      G/B   **Csus2**   **D5**
Y'gotta be ___ bad enough to beat the brave.

Chorus 1
      Csus2   **G/B** **D5**
You fade ___ in-out.
      Csus2   **G/B** **D5**
You fade ___ in-out.
      Csus2   **G/B** **D5**
Without ___ a doubt.

And I don't see no shine,
   F6sus2
Today is just a daydream,
  G5   **D5** | D5 | D5 | D5 ‖
Tomorrow we'll be cast away.

Verse 2

D5
Coming in-out of nowhere,

A7sus4
Singin' rhapsody,

     G/B **Csus2**   **D5**
Y'gotta be ___ bad enough to wanna be.

D5
Sitting upside a high chair

   A7sus4
With the devil's refugee,

     G/B   **Csus2**   **D5**
Is gonna be blinded by the light that follows me.

Chorus 2

    Csus2 **G/B** **D5**
She fade ___ in-out.

    Csus2 **G/B** **D5**
She fade ___ in-out.

    Csus2 **G/B** **D5**
Without ___ a doubt.

I don't see no shine,

  F6sus2
Today is just a daydream,

 G5   **D5** | **D5** | **D5** | **D5** ‖
Tomorrow she'll be cast away.

Solo

‖: **D5** | **D5** | **D5** | **D5** |

| **A7sus4** | **G/B** **Csus2** | **D5** | **D5** :‖

Chorus 3

    Csus2 **G/B** **D5**
We're fade ___ in-out.

    Csus2 **G/B** **D5**
We're fade ___ in-out.

    Csus2 **G/B** **D5**
Without ___ a doubt.

I don't see no shine,

  F6sus2
Today is just a daydream,

 G5   **D5** | **D5** | **D5** | **D5** ‖
Tomorrow we'll be cast away.

Verse 3

D5
Get on the rollercoaster,

A7sus4
The fair's in town today,

             G/B   **Csus2**   **D5**
Y'gotta be __ bad enough to beat the brave.

D5
So get on the helter skelter,

A7sus4
Step into the fray,

             G/B   **Csus2**   **D5**
Y'gotta be __ bad enough to beat the brave.

Outro

           Csus2   **G/B** **D5**
‖: You fade __ in-out. :‖   *Play 7 times*

    G5
You fade __ in-out.

    A5   **D5**
You're fad - ing out.

Fade Away

Words & Music by
Noel Gallagher

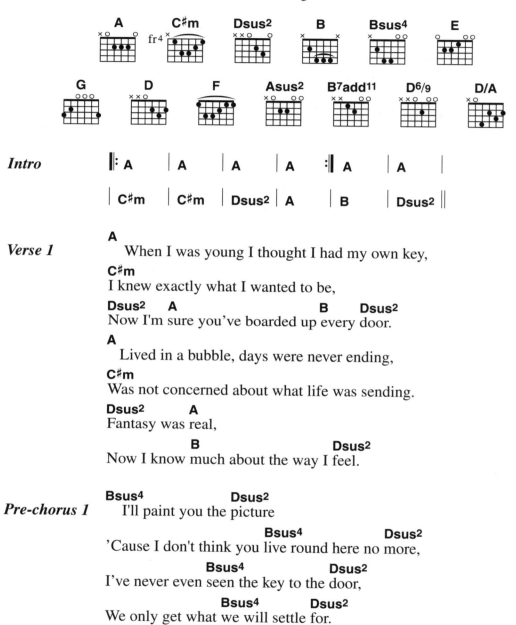

Intro

‖: A | A | A | A :‖ A | A |

| C#m | C#m | Dsus2 | A | B | Dsus2 ‖

Verse 1

A
   When I was young I thought I had my own key,
C#m
I knew exactly what I wanted to be,
Dsus2   **A**   **B**   **Dsus2**
Now I'm sure you've boarded up every door.
A
   Lived in a bubble, days were never ending,
C#m
Was not concerned about what life was sending.
Dsus2   **A**
Fantasy was real,
                B   **Dsus2**
Now I know much about the way I feel.

Pre-chorus 1

Bsus4   **Dsus2**
   I'll paint you the picture

                            Bsus4   **Dsus2**
'Cause I don't think you live round here no more,
                Bsus4   **Dsus2**
I've never even seen the key to the door,
                Bsus4   **Dsus2**
We only get what we will settle for.

Chorus 1

```
        A             E        G                    D           A
        While we're living, the dreams we have as children fade away,
                      E        G                    D           A
        While we're living, the dreams we have as children fade away,
                      E        G                    D           A
        While we're living, the dreams we have as children fade away,
                      E        G                    D
        While we're living, the dreams we have as children
            F      Dsus2   A
        Fade away, away,    away,
                    F      Dsus2   A
        They fade away, away,    away.
```

Link

```
| C#m   | C#m   | Dsus2   | A       | B       | Dsus2   ||
```

Verse 2

```
        A
          Now my life has turned another corner,
        C#m
        I think it's only best that I should warn you:
        Dsus2           A
        Dream it while you can,
                    B                       Dsus2
        Maybe some day I'll make you understand.
```

Pre-chorus 2   As Pre-chorus 1

Chorus 2

```
        A             E        G                    D           A
          While we're living, the dreams we have as children fade away,
                      E        G                    D           A
        While we're living, the dreams we have as children fade away,
                      E        G                    D           A
        While we're living, the dreams we have as children fade away,
                      E        G                    D
        While we're living, the dreams we have as children
            F      Dsus2   A              F      Dsus2   A
        Fade away, away,    away, they fade away, away,    away,
                    F      Dsus2   A              F      Dsus2   A
        They fade away, away,    away, fade away, away,    away.
```

Play 3 times

Coda

```
|: F   | Dsus2   | A   | A   :| F   | Dsus2   |

|: Asus2   | B7add11   | D6/9   | Dsus2   D6/9   :|  Play 4 times

| A   | D/A   | A   |
(Free time)
```

The Fame

Words & Music by
Noel Gallagher

| D | F | C | G | Bm | A | D/F♯ | Em |

Intro ‖: D | F C G | D | F C G :‖ G ‖

Verse 1
D
Breaks like glass, but not in your hand,

They'll shoot you down right where you stand,
Bm   A
And it don't care for what you wear,
G   D
Or which way you might sway.
D
It calls you up, but not on the phone,

And it will drag you from your throne.

Pre-chorus 1
Bm   A
And you may laugh while you sit there
G   D
Sipping your champagne,
Bm   A
And they all laugh at your despair,
G   D
Sniffing your cocaine.
Bm   A
I'm a man of choice in an old Rolls Royce,
G   D
And I'm howling at the moon,
Bm   A   G
Is my happening too deafening for you? ___ For you? ___

Chorus 1

          D
It's maybe The Fame,

      D/F♯   **G**   **D/F♯**
It's forgotten your name,

  Em   **G**
It sees you cry,

    Em   **G**   **D**
You never did explain.

    D/F♯ **G**   **D/F♯**
And I   remain,

Em   **G**
Blowing through you

Em **G**   **D**   **F C G**
Like a hurricane.

      D   **F C G**
It's a shame,

      D   **F C G**
It's a shame,

      D   **F C G** | **G**   ‖
It's a shame.

Verse 2

    D
It will not fall, not from the sky,

And it don't eat no humble pie,

   Bm   **A**
And you may have your quiet life,

   G   **D**
But I bet you don't know why.

   D
It makes you a mess, you didn't believe,

You still don't know what makes me breathe.

Pre-chorus 2

   Bm   **A**
And you may laugh while you sit there,

G   **D**
Sipping your champagne,

   Bm   **A**
And they all laugh at your despair,

      G   **D**
While your sniffing your cocaine.

   Bm   **A**
I'm a man of choice in an old Rolls Royce,

    G   **D**
And I'm howling at the moon,

   Bm   **A**   **G**
Is this happening too deafening for you? ____ For you? ____

Chorus 2

         D
It's maybe The Fame,

     D/F♯   **G**   **D/F♯**
Forgotten your name,

   Em   **G**
It sees you cry,

    Em **G**   **D**
You never did explain.

    D/F♯ **G**   **D/F♯**
And I   remain,

Em   **G**
Blowing through you

Em **G** **D**   **F C G**
Like a hurricane.

      D   **F C G**
It's a shame,

      D   **F C G**
It's a shame,

      D   **F C G**
It's a shame.

Solo

‖: **Em** | **G** | **D** | **A**   :‖ *Play 3 times*

| **Em** | **Em** | **G** | **G**   ‖

Chorus 3

         D
It's maybe The Fame,

     D/F♯   **G**   **D/F♯**
Forgotten your name,

   Em   **G**
It sees you cry,

    Em **G**   **D**
You never did explain.

    D/F♯ **G**   **D/F♯**
And I remain,

Em   **G**
Blowing through you

Em **G** **D**
Like a hurricane.

       D/F♯   **G**   **D/F♯**
Well I've forgotten your name,

   Em   **G**   **Em**   **G**
It sees you cry far from the sky,

    Em **G**   **Em**   **G**
You never did explain why I'm still

Em   **G**   **Em** **G** **D**
Blowing through you like a hurricane.

Flashbax

Words & Music by
Noel Gallagher

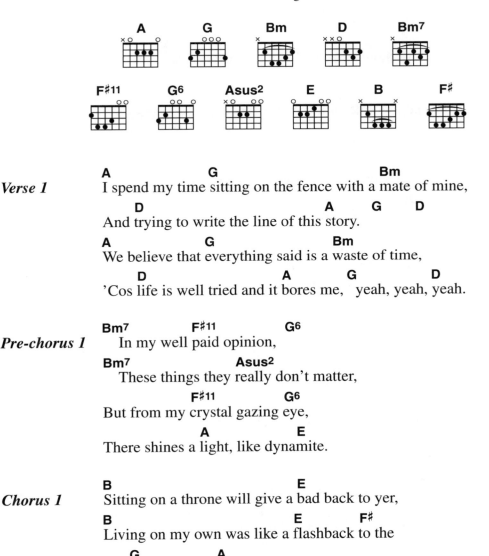

Verse 1

      A   G   Bm
I spend my time sitting on the fence with a mate of mine,
        D   A   G   D
And trying to write the line of this story.
A   G   Bm
We believe that everything said is a waste of time,
      D   A   G   D
'Cos life is well tried and it bores me,   yeah, yeah, yeah.

Pre-chorus 1

Bm⁷   F♯11   G⁶
  In my well paid opinion,
Bm⁷   Asus²
  These things they really don't matter,
         F♯11   G⁶
But from my crystal gazing eye,
              A   E
There shines a light, like dynamite.

Chorus 1

B   E
Sitting on a throne will give a bad back to yer,
B   E   F♯
Living on my own was like a flashback to the
         G   A
Days when I was lost and lonely.

cont.

B   E
Saying what I said was just a different story,

B   E   F#
All your lies, man they still bore me,

G   A
  There's nothing wrong with my world,

G   A   E
  These things they really don't matter now. _____

Verse 2

A   G   Bm
I spend my time sitting on the fence with a mate of mine,

  D   A   G   D
And trying to write the line of this story.

A   G   Bm
We believe that everything said is a waste of time,

  D   A   G   D
'Cos life is well tried and it bores me,   yeah, yeah, yeah.

Pre-chorus 2

Bm7   F#11   G6
  In my well paid opinion,

Bm7   Asus2
  These things they really don't matter,

Bm7   F#11   G6
  'Cos from my crystal gazing eye,

                  A   E
There shines a light, like dynamite.

Chorus 2

B   E
Sitting on a throne will give a bad back to yer,

B   E   F#
Living on my own was like a flashback to the

  G   A
Days when I was lost and lonely.

B   E
Saying what I said was just a different story,

B   E   F#
All those lies, man they will bore me,

G   A
  There's nothing wrong in my world,

G   A
  These things they really don't matter,

G   A
  These things they really don't matter now.

Solo

| B   F# | E | | B   F# | E | |
| B   F# | E | | B   F# | E | |
‖: Bm7 | F#11 | G6 | | Asus2 :‖   *Play 3 times*
| Bm7 | F#11 | G6 | G6 |
| A | A | E | E | E | E | ‖

Chorus 3

B   E
Sitting on a throne will give a bad back to yer,
B   E   F#
Living on my own was like a flashback to the
     G   A
Days when I was lost and lonely.
B   E
Saying what I said was just a different story,
B   E   F#
All your lies, man they still bore me,
G   A
    There's nothing wrong in my world,
G   A
    These things they really don't matter,
G   A   B   F# E
    These things they really don't matter now. _____

Coda

                    B   F# E
‖: Don't matter now. _____   :‖   *Play 6 times*
                    G
Don't matter now. _____
                    A
Don't matter now. _____
                    B
Don't matter now. _____

69

Fuckin' In The Bushes

Words & Music by
Noel Gallagher

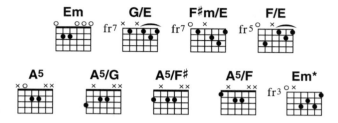

Chords arranged from keyboard and backing vocal parts

Intro

Spoken over drums:

We put this festival on you bastards with a lotta love,
We worked for one year for you pigs,
And you wanna break our walls down, and you wanna destroy us,
Well you go to hell!

‖: Em | Em | Em | Em :‖ *Play 3 times*

‖: G/E | F♯m/E F/E | Em | Em :‖ *Play 4 times*

| Em | Em ‖

Chorus 1
Spoken:

A5   A5/G
Kids are running around naked fuckin' in the bushes.
A5/F♯   A5/F
Kids are running around naked fuckin' in the bushes.
A5   A5/G
Kids are running around naked fuckin' in the bushes.
A5/F♯   A5/F
Kids are running around naked fuckin' in the bushes.

| Em | Em | Em | Em ‖
I love it.

Bridge

‖: G/E | F♯m/E F/E | Em* | Em :‖ Em | Em ‖

Chorus 2
Spoken:

A5   A5/G
Kids are running around naked fuckin' in the bushes.
A5/F#   A5/F
Kids are running around naked fuckin' in the bushes.
A5   A5/G
Kids are running around naked fuckin' in the bushes.
A5/F#   A5/F
Kids are running around naked fuckin' in the bushes.
A5   A5/G
I love it, room for everybody here,
                    A5/F#   A5/F
Yes all are welcome, yes indeed I love them,
                    A5   A5/G   A5/F#   A5/F
Mud, nice,   life, youth, beautiful, I'm all for it.

Outro
Spoken:

Em *Fade out…*
I love it, room for everybody here,

Yes all are welcome, yes indeed I love them,

Mud, nice, life, youth, beautiful, I'm all for it.

Full On

Words & Music by
Noel Gallagher

G#m   E   B   C#m   E*   F#sus4   F#   G#m7

Intro | G#m | E | G#m | E   B ||

Verse 1

G#m   E
I hear my heart beatin' faster,
G#m   E   B
I feel it in my bones,
G#m   E
I want it now 'cos I have ta,
G#m   E   B
But why, no-one knows.
G#m   E
I'm like the angel on the A train,
G#m   E   B
My eyes are   diamond white,
G#m   E
From the cradle till your insane,
G#m   E   B
For life you have to fight.

Pre-chorus 1

     C#m   E*
But no-one knows why there's a spirit in the sky,
               G#m
Where there we stay for so long,
C#m   E*
He will understand, while I take him by the hand,
     F#sus4   F#
Why life's time tunnel is long,

Chorus 1

                            G#m   E
    And it will be alright,

                 B   G#m   E
    If you see me tonight,

                       B   G#m   E
    It's where we both belong,

                     B   G#m E   B   G#m   E
    It's gonna be full on,   it's gonna be full on,

                     B   G#m E   B   G#m   E
    It's gonna be full on,   it's gonna be full on,

                     B   G#m E   B
    It's gonna be full on.

Verse 2   As Verse 1

Pre-chorus 2   As Pre-chorus 1

Chorus 2   As Chorus 1

Solo | C#m | E* | G#m | G#m7 |

         | C#m | E* | F#sus4 | F# ||

                            G#m   E
Chorus 3   It's gonna be alright,

                    B   G#m   E
    You're gonna stay tonight,

                    B   G#m   E
    It's where we both belong,

                  B   G#m E   B   G#m   E
    It's gonna be full on,   it's gonna be full on,

                  B   G#m E   B   G#m   E
    It's gonna be full on,   it's gonna be full on,

                  B   G#m E   B   G#m   E
    It's gonna be full on.   it's gonna be full on,

                  B   G#m E   B   G#m   E B
    It's gonna be full on,   it's gonna be full on.

Outro | G#m | G#m | G#m | G#m ||

Gas Panic!

Words & Music by
Noel Gallagher

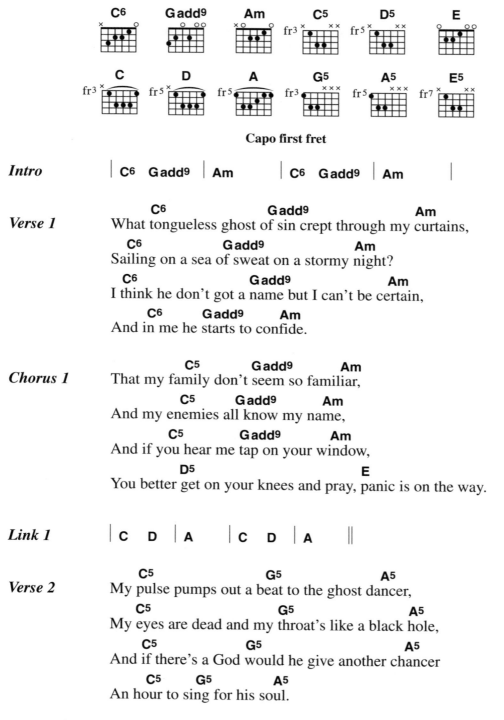

Capo first fret

Intro
| C6 Gadd9 | Am | | C6 Gadd9 | Am | |

Verse 1
        C6   Gadd9   Am
What tongueless ghost of sin crept through my curtains,
        C6   Gadd9   Am
Sailing on a sea of sweat on a stormy night?
        C6   Gadd9   Am
I think he don't got a name but I can't be certain,
        C6   Gadd9   Am
And in me he starts to confide.

Chorus 1
            C5   Gadd9   Am
That my family don't seem so familiar,
           C5   Gadd9   Am
And my enemies all know my name,
           C5   Gadd9   Am
And if you hear me tap on your window,
           D5   E
You better get on your knees and pray, panic is on the way.

Link 1
| C D | A | C D | A | ||

Verse 2
        C5   G5   A5
My pulse pumps out a beat to the ghost dancer,
        C5   G5   A5
My eyes are dead and my throat's like a black hole,
        C5   G5   A5
And if there's a God would he give another chancer
        C5   G5   A5
An hour to sing for his soul.

Chorus 2

            C5   **G5**   **A5**
'Cause my family don't seem so familiar,

            C5   **G5**   **A5**
And my enemies all know my name,

            C5   **G5**   **A5**
And when you hear me tap on your window,

            D5
You better get on your knees and pray,

E5
Panic is on the way.

Link 2 | C   D | A | C   D | A   ‖

Solo | **A5** | **G5** | **D5** | **A5** | **A5** | **G5** | **D5** | **C5** |

            | **D5** | **D5** | **C5 D5** | **A5** | **C5 D5** | **A5** |

            | **C5 D5** | **A5** | **D5** | **E** | **E** ‖

Chorus 3

            C5   **G5**   **A5**
'Cause my family don't seem so familiar,

            C5   **G5**   **A5**
And my enemies all know my name,

            C5   **G5**   **A5**
And when you hear me tap on your window,

            C5   **G5**   **A5**
Then you get on your knees and you better pray;

Chorus 4

            C5   **G5**   **A5**
'Cause my family don't seem so familiar,

            C6   **G5**   **A5**
And my enemies all know my name,

            C5   **G5**   **A5**
And when you hear me tap on your window,

            D5
You better get on your knees and pray,

E5   **C5 D5 A5**
Panic is on the way, _____

C5 D5 A5   **C5 D5 A5**
           Panic is on the way. _____

Outro | **C5**   **D5** | **A5**   ‖: **A5** | **A5**   :‖ *Repeat to fade*

Go Let It Out

Words & Music by
Noel Gallagher

A7	D5	Fadd9	G	A7sus4	F	Cadd9

Intro | A7 | A7 ||

Verse 1
A7
Paint no illusion, try to click with whatcha got,

Taste every potion, 'cos if yer like yerself a lot.
           D5   Fadd9 G   A7
Go let it out, go let it in,   an' go let it out.

Verse 2
A7
Life is precocious in the most peculiar way,
A7sus4   A7
Sister psychosis don't got a lot to say.
           D5   F   G   A7
She go let it out, she go let it in, she go let it out.
           D5   F   G   A7
She go let it out, she go let it in, she go let it out.

Chorus 1
D5   F   A7   Cadd9
    Is it any wonder why princes and kings
D5   F   A7   Cadd9
    Are clowns that caper in their sawdust rings.
D5   F   A7   Cadd9
    Ordinary people that are like you and me,
           G   D5
We're the keepers of their destiny,
           G   D5
We're the keepers of their destiny.

| A7 | A7 ||

Verse 3

          A7
I'm goin' leavin' this city, I'm goin' drivin' outta town,

And you're coming with me, the right time is always now.
       D5   F   G   A7
To go let it out,   and go let it in,   and go let it out.
       D5   F   G   A7
To go let it out,   so go let it in,   an' go let it out.

Chorus 2

D5   F   A7   Cadd9
  Is it any wonder why princes and kings
D5   F   A7   Cadd9
  Are clowns that caper in their sawdust rings.
D5   F   A7   Cadd9
  Ordinary people that are like you and me,
          G   D5
We're the builders of their destiny,
          G   D5
We're the builders of their destiny,
          G   D5
We're the builders of their destiny,
          G   D5
We're the builders of their destiny.

Solo

‖: D5 | D5 | D5 | D5 :‖ D5 ‖

Coda

           D5   Cadd9
So go let it out, go let it in,
G   D5   Cadd9
  Go let it out, don't let it in,
G   D5   Cadd9
  Go let it out, go let it in,
G   D5
  An' go let it out.
         Cadd9   G
Don't let it in, don't let it in, don't let it in.

Outro

‖: D5 | Cadd9 G | D5 | Cadd9 G :‖

‖: D5 | D5 | D5 | D5 :‖ *Repeat to fade*

Going Nowhere

Words & Music by
Noel Gallagher

| A | B7add11 | D | D/A | Asus2 | D | Asus2* |

Tune guitar slightly sharp

Intro ‖: A | B7add11 | A | B7add11 :‖ B7add11 ‖

Verse 1

A   B7add11   A   B7add11
Hate the way that you've taken back everything you've given to me,

A   B7add11
And the way that you'd always say

      A   B7add11
"It's nothing to do with me."

A   B7add11   A   B7add11
Different versions of many men come before you came,

A   B7add11
All their questions were similar,

      A   B7add11
The answers just the same.

Pre-chorus 1

D
I'm gonna get me a motor car, maybe a jaguar,

                       A   D/A A
Maybe a plane or a day of fame.

D
I'm gonna be a millionaire, so can you take me there?

                              Asus2
Wanna be wild 'cause my life's so tame.

Chorus 1

           B7add11   D   A
Here am I going   nowhere on a train,

           B7add11   Dsus2   A   B7add11
Here am I growing older in the rain.

     A B7add11   A B7add11   A B7add11
Hey,   hey,   hey.

Verse 2

    A   B⁷add¹¹   A   B⁷add¹¹

Hate the way that you've taken back everything you've given to me,

A   B⁷add¹¹

And the way that you'd always say

     A   B⁷add¹¹

"It's nothing to do with me."

A   B⁷add¹¹   A   B⁷add¹¹

Different versions of many men come before you came,

A   B⁷add¹¹

All their questions were similar,

    A   B⁷add¹¹

The answers just the same.

Pre-chorus 2

    D

I'm gonna get me a motor car, maybe a jaguar,

                          A   D/A A

Maybe a plane or a day of fame.

    D

I'm gonna be a millionaire, so can you take me there?

                         Asus²

Wanna be wild 'cause my life's so tame.

Chorus 2

           B⁷add¹¹ D   A

Here am I going   nowhere on a train,

           B⁷add¹¹ Dsus²   A

Here am I growing older in the rain.

           B⁷add¹¹ D   A

Here am I going   nowhere on a train,

           B⁷add¹¹ D

Here am I getting lost and lonely, sad and only.

                       A

Why, sometimes, does my life feel so tame?

B⁷add¹¹ A   B⁷add¹¹ A B⁷add¹¹ A   B⁷add¹¹

   Hey,   hey,   hey.

Coda

                               Play 5 times

‖: A | B⁷add¹¹ | A | B⁷add¹¹ :‖ Asus²* ‖

Half The World Away

Words & Music by
Noel Gallagher

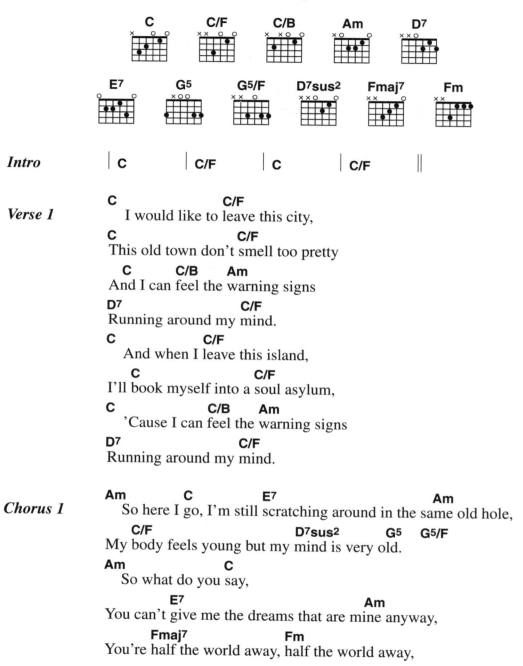

Intro | C | C/F | C | C/F ||

Verse 1

C   C/F
 I would like to leave this city,

C   C/F
This old town don't smell too pretty

 C C/B Am
And I can feel the warning signs

D7   C/F
Running around my mind.

 C   C/F
 And when I leave this island,

  C   C/F
I'll book myself into a soul asylum,

C   C/B Am
 'Cause I can feel the warning signs

D7   C/F
Running around my mind.

Chorus 1

Am   C   E7   Am
 So here I go, I'm still scratching around in the same old hole,

 C/F   D7sus2   G5 G5/F
My body feels young but my mind is very old.

Am   C
 So what do you say,

   E7   Am
You can't give me the dreams that are mine anyway,

   Fmaj7   Fm
You're half the world away, half the world away,

cont.

    C   C/B   Am
Half the world away.

              D⁷   C/F | C/F ||
I've been lost, I've been found but I don't feel down.

Link | C | C/F | C | C/F ||

Verse 2

C   C/F
  And when I leave this planet,

        C   C/F
You know I'd stay but I just can't stand it

      C   C/B   Am
And I can feel the warning signs,

D⁷   C/F
Running around my mind.

C   C/F
  And if I could leave this spirit,

        C   C/F
I'd find me a hole and I'll live in it,

         C   C/B   Am
And I   can feel the warning signs,

D⁷   C/F
Running around my mind.

Chorus 2

Am   C   E⁷   Am
  Here I go,   I'm still scratching around in the same old hole,

   C/F   D⁷sus²   G⁵   G⁵/F
My body feels young but my mind is very old.

Am   C
  So what do you say,

       E⁷   Am
You can't give me the dreams that are mine anyway,

        Fmaj⁷   Fm
You're half the world away, half the world away,

C   C/B   Am
Half the world away.

        D⁷   C/F
I've been lost, I've been found but I don't feel down.

No I don't feel down, no I don't feel down.

Outro ||: C | C/F | C | C/F   :|| *Repeat to fade*
             Don't feel down.

Headshrinker

Words & Music by
Noel Gallagher

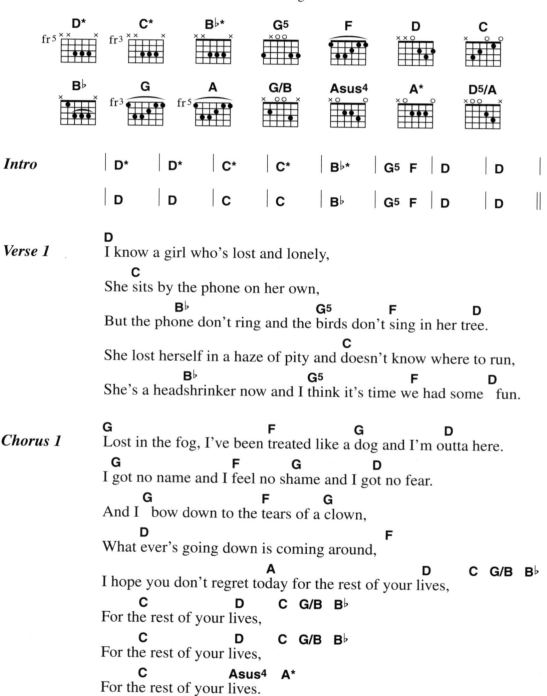

Intro | D* | D* | C* | C* | B♭* | G5 F | D | D | |
| D | D | C | C | B♭ | G5 F | D | D | ||

Verse 1

    D
I know a girl who's lost and lonely,
     C
She sits by the phone on her own,
       B♭   **G5**   **F**   **D**
But the phone don't ring and the birds don't sing in her tree.
                       C
She lost herself in a haze of pity and doesn't know where to run,
      B♭   **G5**   **F**   **D**
She's a headshrinker now and I think it's time we had some fun.

Chorus 1

G   **F**   **G**   **D**
Lost in the fog, I've been treated like a dog and I'm outta here.
G   **F**   **G**   **D**
I got no name and I feel no shame and I got no fear.
       G   **F**   **G**
And I bow down to the tears of a clown,
       D   **F**
What ever's going down is coming around,
            A   **D**   **C G/B B♭**
I hope you don't regret today for the rest of your lives,
    C   **D**   **C G/B B♭**
For the rest of your lives,
    C   **D**   **C G/B B♭**
For the rest of your lives,
    C   **Asus4 A***
For the rest of your lives.

Solo   ‖: D | D | C | C | B♭ | G F | D | D :‖

Chorus 2

G   F   G   D
Lost in the fog, I've been treated like a dog and I'm outta here.
 G   F   G   D
I got no name and I feel no shame and I got no fear.
   G   F   G
And I bow down to the tears of a clown,
    D   F
What ever's going down is coming around,
          A
I hope you don't regret today for the rest of your (lives.)

| D | D | C | C | B♭ | G F | D | D | |
lives.

| D | D | C | C | B♭ | G F | D | D ‖

Verse 2   As Verse 1

Chorus 3

G   F   G   D
Lost in the fog, I've been treated like a dog and I'm outta here.
 G   F   G   D
I got no name and I feel no shame and I got no fear.
   G   F   G
And I bow down to the tears of a clown,
    D   F
What ever's going down is coming around,
        A   D C G/B B♭
I hope you don't regret today for the rest of your lives,
   C   D   C G/B B♭
For the rest of your lives,
   C   D   C G/B B♭
For the rest of your lives,
   C   D   C G/B B♭ C
For the rest of your lives.

Outro   ‖: D | C | G/B | B♭ C |

| D | C | G/B | B♭ C :‖ D⁵/A ‖

83

Hello

Words & Music by
Noel Gallagher

(this work includes elements of "Hello Hello I'm Back Again", Words & Music by Gary Glitter & Mike Leander)

Am **Fmaj7** **C** **G** **E** **C/B** **D** **G#** fr4

Intro

‖: Am Fmaj7 | Am Fmaj7 | Am Fmaj7 | C G :‖

Verse 1

  Am   Fmaj7 Am   Fmaj7
I don't feel as if I know you,

   Am   Fmaj7 C G
You take up all my time.

   Am   Fmaj7 Am   Fmaj7 Am
The days are long and the nights will throw you a - way

     Fmaj7 C G
'Cause the sun don't shine.

Am   Fmaj7 Am   Fmaj7
Nobody ever   mentions the weather

   Am   Fmaj7 C G
Can make or break your day.

Am   Fmaj7 Am   Fmaj7
Nobody ever   seems to remember

Am   C G
Life is a game we play.

E   Am
We live in the shadows and we

Fmaj7   G
Had the chance and threw it away.

Chorus 1

    C   C/B Am
And it's never gonna be the same,

   Fmaj7   G
'Cos the years are falling by like rain.

   C   C/B Am
It's never gonna be the same,

   Fmaj7   D
'Til the light by you comes to my house and says hel - (lo.)

Link

| Am Fmaj7 | Am Fmaj7 | Am Fmaj7 | C G ‖
- lo.

Verse 2

Am   Fmaj7 Am   Fmaj7
There ain't no sense in   feeling lonely,

      Am   Fmaj7 C G
They got no faith in   you.

     Am   Fmaj7 Am   Fmaj7
But I've got a feeling   you still owe me,

     Am   Fmaj7   C   G
So wipe the shit from your shoes.

Am   Fmaj7 Am   Fmaj7
Nobody ever   mentions the weather

     Am   Fmaj7   C G
Can make or break your day.

 Am   Fmaj7 Am   Fmaj7
Nobody ever   seems to remember

Am   C G
Life is a game we play.

E   Am
We live in the shadows and we

Fmaj7   G
Had the chance and threw it away.

Chorus 2

         C   C/B   Am
And it's never gonna be the same,

        Fmaj7   G
'Cos the years are falling by like rain.

      C   C/B Am
It's never gonna be the same,

        Fmaj7   D
'Til the light by you comes to my house and says:

Outro

      Fmaj7 G   Am
Hello,   hello, (it's good to be back, it's good to be back.)

      Fmaj7 G   Am
Hello,   hello, (it's good to be back, it's good to be back.)

      Fmaj7 G   Am
Hello,   hello, (it's good to be back, it's good to be back.)

      Fmaj7 G   Am
Hello,   hello, hello.

Coda

‖: Fmaj7 | G | Am | Am :‖ *Play 3 times*

| Fmaj7 | G G♯ | Am ‖

The Girl In The Dirty Shirt

Words & Music by
Noel Gallagher

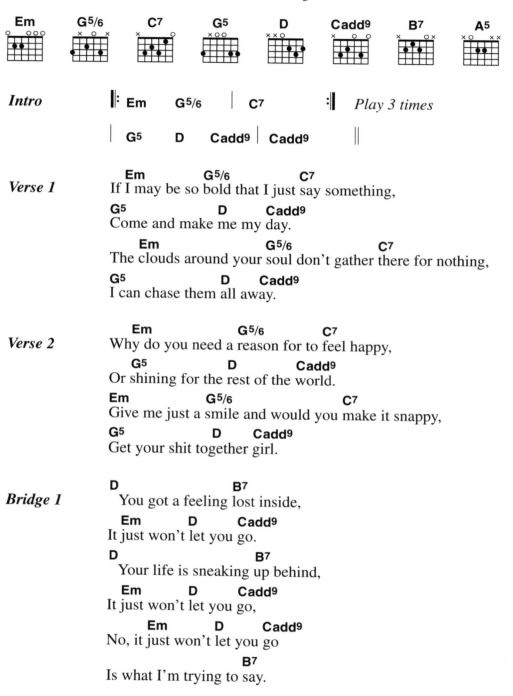

Intro

‖: Em   G5/6 | C7   :‖   *Play 3 times*

| G5   D   Cadd9 | Cadd9   ‖

Verse 1

          Em   G5/6   C7
If I may be so bold that I just say something,
G5   D   Cadd9
Come and make me my day.
          Em   G5/6   C7
The clouds around your soul don't gather there for nothing,
G5   D   Cadd9
I can chase them all away.

Verse 2

          Em   G5/6   C7
Why do you need a reason for to feel happy,
    G5   D   Cadd9
Or shining for the rest of the world.
Em   G5/6   C7
Give me just a smile and would you make it snappy,
G5   D   Cadd9
Get your shit together girl.

Bridge 1

    D   B7
    You got a feeling lost inside,
    Em   D   Cadd9
It just won't let you go.
D   B7
    Your life is sneaking up behind,
    Em   D   Cadd9
It just won't let you go,
          Em   D   Cadd9
No, it just won't let you go
                          B7
Is what I'm trying to say.

Chorus 1

$(B7)$ G5   Cadd9
Is would you maybe

     G5   Cadd9
Come dancing with me,

      G5   Cadd9
'Cos to me it doesn't matter

      A5   Cadd9
If your hopes and dreams are shattered.

        G5 Cadd9
And when you say something

    G5   Cadd9
You make me believe

     G5   Cadd9
In the girl who wears a dirty shirt,

    A5   Cadd9
She knows exactly what she's worth,

     A5   Em G5/6
She knows exactly what she's worth to me!

C7   Em G5/6
   That I can see,

C7   Em G5/6
   I can see.

| C7 | G5   D   Cadd9 | Cadd9   ‖

Verse 3

      Em   G5/6   C7
If you ever find yourself inside a bubble,

        G5   D   Cadd9
You've gotta make your own way home.

Em   G5/6   C7
You can call me anytime you're seeing double,

G5   D   Cadd9
Now you know you're not alone.

Bridge 2

D   B7
   You got a feeling lost inside,

   Em   D   Cadd9
It just won't let you go.

D   B7
Your life is sneaking up behind,

   Em   D   Cadd9
It just won't let you go,

     Em   D   Cadd9
No, it just won't let you go

         B7
Is what I'm trying to say.

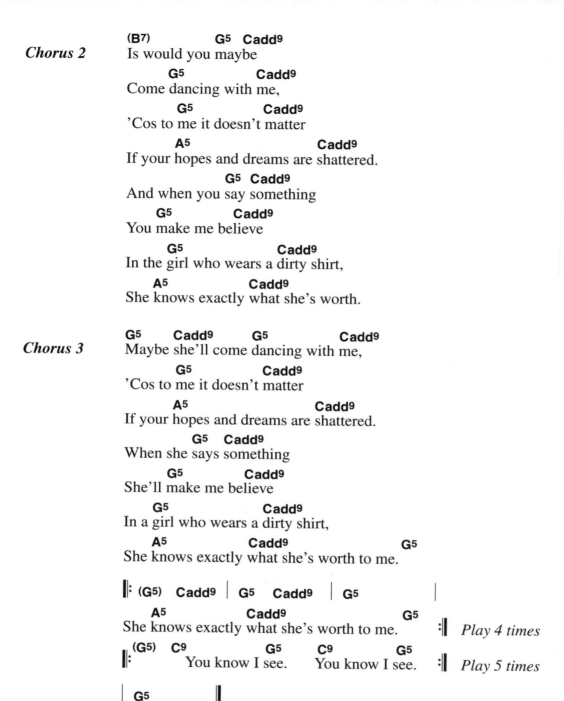

Chorus 2

(B7)   **G5** **Cadd9**
Is would you maybe

      G5   **Cadd9**
Come dancing with me,

         G5   **Cadd9**
'Cos to me it doesn't matter

          A5   **Cadd9**
If your hopes and dreams are shattered.

            G5 **Cadd9**
And when you say something

      G5   **Cadd9**
You make me believe

         G5   **Cadd9**
In the girl who wears a dirty shirt,

       A5   **Cadd9**
She knows exactly what she's worth.

Chorus 3

G5   **Cadd9**   **G5**   **Cadd9**
Maybe she'll come dancing with me,

      G5   **Cadd9**
'Cos to me it doesn't matter

       A5   **Cadd9**
If your hopes and dreams are shattered.

         G5 **Cadd9**
When she says something

      G5   **Cadd9**
She'll make me believe

    G5   **Cadd9**
In a girl who wears a dirty shirt,

      A5   **Cadd9**   **G5**
She knows exactly what she's worth to me.

‖: **(G5)** **Cadd9** | **G5** **Cadd9** | **G5**

     A5   **Cadd9**   **G5**
She knows exactly what she's worth to me. :‖ *Play 4 times*

‖: **(G5)** **C9**   **G5**   **C9**   **G5**
      You know I see.   You know I see. :‖ *Play 5 times*

| **G5**   ‖

Hey Now!

Words & Music by
Noel Gallagher

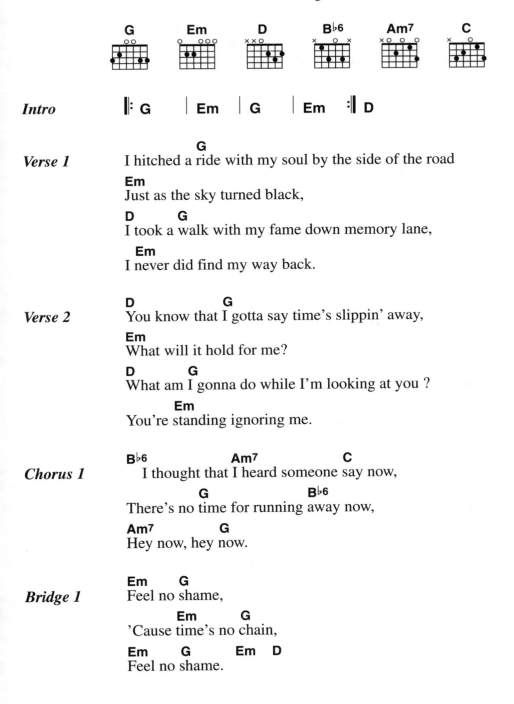

Intro ‖: G | Em | G | Em :‖ D

Verse 1

              G
I hitched a ride with my soul by the side of the road

Em
Just as the sky turned black,

D   **G**
I took a walk with my fame down memory lane,

   Em
I never did find my way back.

Verse 2

D   **G**
You know that I gotta say time's slippin' away,

Em
What will it hold for me?

D   **G**
What am I gonna do while I'm looking at you ?

      Em
You're standing ignoring me.

Chorus 1

B♭6   **Am7**   **C**
  I thought that I heard someone say now,

         G   **B♭6**
There's no time for running away now,

Am7   **G**
Hey now, hey now.

Bridge 1

Em   **G**
Feel no shame,

     Em   **G**
'Cause time's no chain,

Em   **G**   **Em**   **D**
Feel no shame.

Verse 3

G
The first thing I saw, as I walked through the door,

     Em
Was a sign on the wall that read.

D   G
It said "You might never know that I want you to know

     Em   D
What's written inside of your head".

Verse 4

G
And time as it stands won't be held in my hands

     Em
Or living inside of my skin.

D   G
And as it fell from the sky I asked myself why,

     Em
Can I never let anyone in?

Chorus 2

B♭6   Am7   C
  I thought that I heard someone say now,

       G   B♭6
There's no time for running away now,

Am7   G
Hey now, hey now.

Bridge 2

Em   G
Feel no shame,

     Em   G
'Cause time's no chain,

Em   G   Em   D
Feel no shame.

Guitar solo   Chords as Verse and Chorus

Bridge 3   As Bridge 1

Verse 5   As Verse 1

Verse 6   As Verse 2

| | B♭6   Am7   C |
| *Chorus 3* | I thought that I heard someone say now, |

                           G   B♭6
               There's no time for running away now,

               Am7   **C**   **G**
               Hey now, hey now, hey now,

               B♭6   **Am7**   **C**   **G**
               Hey now, hey now, hey now, hey now,

               B♭6   **Am7**   **G**
               Hey now, hey now, hey now.

               Em   **G**
Bridge 4   Feel no shame

                            Em   **G**
               'Cause time's no chain.

               Em   **G**
               Feel no shame

                            Em   **G**
               'Cause time's no chain.

               Repeat Bridge 4 to fade

I Can See A Liar

Words & Music by
Noel Gallagher

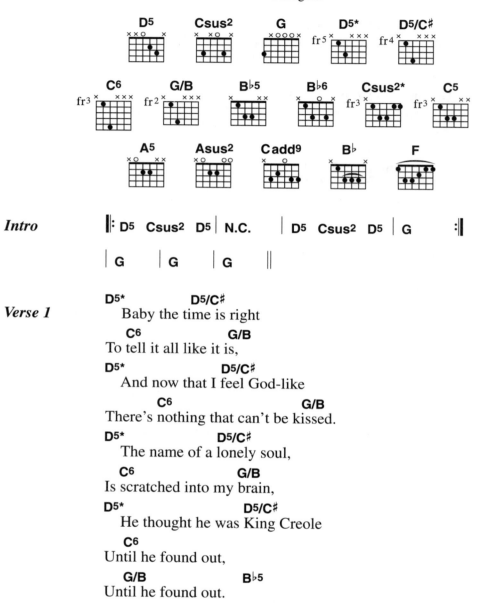

Intro ‖: D5 Csus2 D5 | N.C. | D5 Csus2 D5 | G :‖

| G | G | G ‖

Verse 1

D5*   D5/C♯
  Baby the time is right

  C6   G/B
To tell it all like it is,

D5*   D5/C♯
  And now that I feel God-like

       C6   G/B
There's nothing that can't be kissed.

D5*   D5/C♯
  The name of a lonely soul,

  C6   G/B
Is scratched into my brain,

D5*   D5/C♯
  He thought he was King Creole

   C6
Until he found out,

  G/B   B♭5
Until he found out.

Pre-chorus 1

Bb6   Csus2*
He sits upon a throne,

                  D5   C5   Bb5 Bb6
He lives a slea - zy lie,

                       A5 Asus2
But he's all alone again,

  Cadd9
Again.

Chorus 1

D5   Csus2 D5   G
I can see a   liar,

D5   Csus2 D5   G
Sitting by the   fire,

D5   Csus2   D5   G
Trouble in   his heart,

D5   Csus2   D5
Laughing at   the thought,

G
Coming as he goes into overdose.

I wonder what he thinks of me?

Verse 2

D5*   D5/C#
  Baby the time is right

   C6   G/B
To tell it all like it is,

D5*   D5/C#
  And now that I feel God-like

      C6   G/B
There's nothing that can't be kissed.

Pre-chorus 2

Bb6   Csus2*
He sits upon a throne,

                  D5   C5   Bb5 Bb6
He lives a slea - zy lie,

                       A5 Asus2
But he's all alone again,

  Cadd9
Again.

Chorus 2

D5   Csus2 D5   G
I can see a   liar,

D5   Csus2 D5   G
Sitting by the   fire,

D5   Csus2   D5   G
Trouble in   his heart,

cont.
      D5   **Csus2**   **D5**
He's laughing at   the thought,
G
Coming as he goes into overdose.

I wonder what he thinks of me?

Solo
   | **B♭** | **F** | **G** | **G** |

   | **B♭** | **F** | **A5** | **Cadd9**   ‖

Chorus 3
D5   **Csus2** **D5**   **G**
Baby you're a   liar,
D5   **Csus2** **D5**   **G**
Sitting by the   fire,
D5   **Csus2**   **D5**   **G**
Trouble in your heart,
        D5   **Csus2**   **D5** **G**
You're laughing at the thought,
        D5   **Csus2** **D5** **G**
Yeah baby you're a   liar,
D5   **Csus2** **D5**   **G**
Sitting by the   fire,
D5   **Csus2**   **D5**   **G**
Trouble in your heart,
        D5   **Csus2**   **D5**
You're laughing at   the thought,
G
Coming as you go into overdose.
                         D5 **Csus2** **D5**
I wonder what you think of me?

I Hope, I Think, I Know

Words & Music by
Noel Gallagher

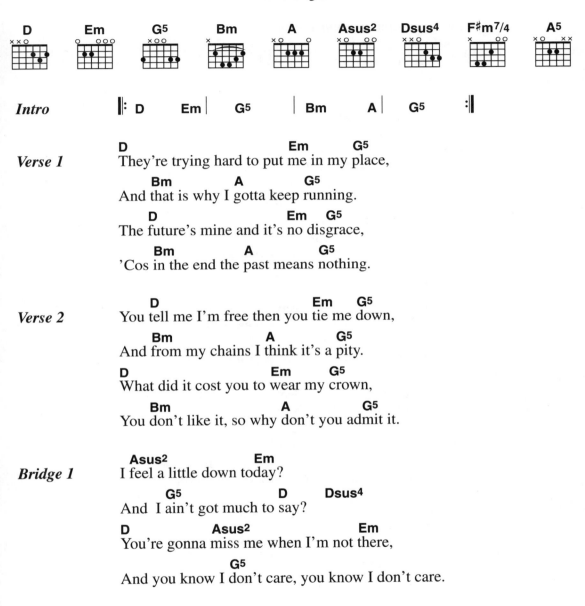

Intro ‖: D　Em | G5 | Bm　A | G5 :‖

Verse 1

    D　　　　　　　　　　Em　　G5
They're trying hard to put me in my place,
    Bm　　　　　A　　　　G5
And that is why I gotta keep running.
    D　　　　　　　　　Em　　G5
The future's mine and it's no disgrace,
    Bm　　　　　　A　　　　　G5
'Cos in the end the past means nothing.

Verse 2

    D　　　　　　　　　　　Em　　G5
You tell me I'm free then you tie me down,
    Bm　　　　　　　　A　　　G5
And from my chains I think it's a pity.
    D　　　　　　　　Em　　　G5
What did it cost you to wear my crown,
    Bm　　　　　　　　A　　　　　G5
You don't like it, so why don't you admit it.

Bridge 1

    Asus2　　　　　　Em
I feel a little down today?
    G5　　　　　　　D　　Dsus4
And I ain't got much to say?
    D　　　　Asus2　　　　　　Em
You're gonna miss me when I'm not there,
    G5
And you know I don't care, you know I don't care.

Chorus 1

D   A   G5
As we beg and steal and borrow,

               D   A
Life is hit and miss, and this

 E   G5
I hope, I think, I know.

              D   A
If I ever hear the names you call

  Em   G5   F♯m7/4
And if I stumble catch me when I fall,

           Asus2   D   Em | G5 |
'Cos baby after all, you'll never forget my name,

Bm A   G5   D
   You'll never forget my name.

| (D)   Em | G5 | Bm   A | G5 ||

Verse 3

D   Em   G5
You tried hard to put me in my place,

  Bm   A   G5
And that is why I gotta keep running.

  D   Em   G5
The future's mine and it's your disgrace,

  Bm   A   G5
'Cos in the end your life means nothing.

Bridge 2

      Asus2   Em
D'you feel a little down today,

    G5   D   Dsus4
Bet you ain't got much to say?

D   Asus2   Em
Who's gonna miss me when you're not there,

     G5
And you know I don't care, you know I don't care.

Chorus 2

D   A   G⁵
'Cos as we beg and steal and borrow,

              D   A
Life is hit and miss, and this

 E   G⁵
I hope, I think, I know.

             D   A
If I ever hear the names you call

   Em   G⁵   F♯m⁷/4
And if I stumble catch me when I fall,

       Asus²   D   Em | G⁵
'Cos baby after all, you'll never forget my name,

Em G⁵   Em G⁵
    You'll never forget my name.

| A⁵ | A⁵ | A⁵ | A⁵ | A⁵ | G⁵ | G⁵ ||

Chorus 3

D A   G⁵
As we beg and steal and borrow,

            D   A
Life is hit and miss, and this

 E   G⁵
I hope, I think, I know.

          D   A
If I ever hear the names you call

   Em   G⁵   F♯m⁷/4
And if I stumble catch me when I fall,

       Asus²   D   Em | G⁵ |
'Cos baby after all, you'll never forget my name,

Bm A   G⁵   D   Em | G⁵ |
    You'll never forget my name.

Bm A   G⁵   D   Em | G⁵ |
    You'll never forget my name.

Bm A   G⁵   D   Em | G⁵ |
    You'll never forget my name.

Bm A   G⁵   D
    You'll never forget my name.

(I Got) The Fever

Words & Music by
Noel Gallagher

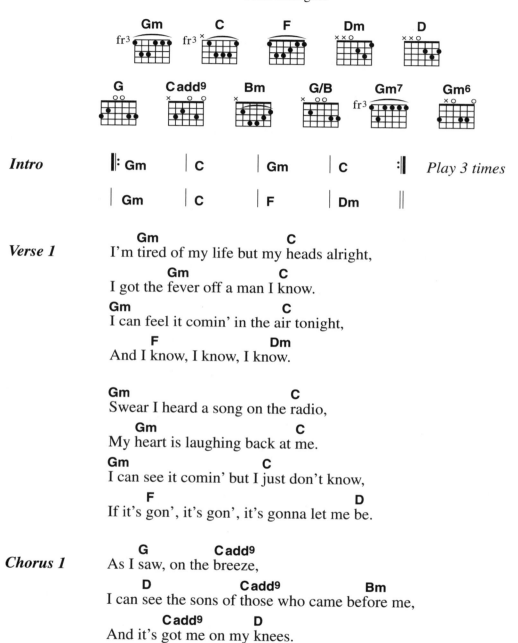

Intro

‖: Gm | C | Gm | C :‖ *Play 3 times*

| Gm | C | F | Dm ‖

Verse 1

     Gm   **C**
I'm tired of my life but my heads alright,
       Gm   **C**
I got the fever off a man I know.
Gm   **C**
I can feel it comin' in the air tonight,
      F   **Dm**
And I know, I know, I know.

Gm   **C**
Swear I heard a song on the radio,
      Gm   **C**
My heart is laughing back at me.
Gm   **C**
I can see it comin' but I just don't know,
      F   **D**
If it's gon', it's gon', it's gonna let me be.

Chorus 1

       G   **Cadd9**
As I saw, on the breeze,
      D   **Cadd9**   **Bm**
I can see the sons of those who came before me,
     Cadd9   **D**
And it's got me on my knees.

cont.
         G   **Cadd9**
What you say, anyway,
         D   **Cadd9**   **Bm**
Will not last, it'll pass, it'll flash right there before me,
         Cadd9   **D**
And it's got me on my knees.

Link
             Gm   **C**
'Cause I got the fever,
             Gm   **C**
Yeah I got the fever,
             Gm   **C** **F** **Dm**
'Cause I got the fever.

Verse 2   As Verse 1

Chorus 2   As Chorus 1

Link 2
D   **Cadd9 G/B Cadd9 D**
It's got me on my knees,
              Cadd9 G/B Cadd9 D
It's got me on my knees,
              Cadd9 G/B Cadd9 G/B Cadd9 G/B Cadd9 D
It's got me on my knees.

Solo   **‖: G** | **Cadd9** | **D** | **Cadd9** |
         | **Bm** | **Cadd9** | **D** | **D**   **:‖**

Chorus 3   As Chorus 1

Outro
D   **Cadd9 G/B Cadd9 D**
It's got me on my knees,
              Cadd9 G/B Cadd9 D
It's got me on my knees,
              Cadd9 G/B Cadd9 D
It's got me on my knees,
              Cadd9 G/B Cadd9 D
It's got me on my knees.

   ‖: Cadd9 G/B Cadd9 | **D** |
   | **Cadd9 G/B Cadd9** | **D**   **:‖ Gm7 Gm6 ‖**

I Will Believe

Words & Music by
Noel Gallagher

D   A   G   Em⁷   Cadd⁹   Fsus²   E

Intro ‖: D   A | G   D | A   G | D   :‖ *Play 4 times*

Verse 1
```
        D           A        G        D
Locked up in chains for the rest of my life,
         A        G       D
There's no one else to blame but me.
       D         A        G         D
The start of the day's just the end of the night,
       A        G     D
I'm feeling like I'm lost at sea.
A                G        D
Sometimes is just seems so simple,
         A         G          D
I'm feeling like I'm down on my knees,
A                G         D
Sometimes like a man in the middle,
   Em⁷                     G
I don't know my own mind,
              A
Won't you let me be?
```

Chorus 1
```
              D          Cadd⁹
Coz I can find you living in my world
                A                   D
Dragging me round just like a dog on a lead,
         Fsus²                G
But when I find my own peace of mind, I,
         E      A
I will believe. _____
```

Link ‖: D   A | G   D | A   G | D   :‖

Verse 2

         D   **A**   **G**   **D**
I'm locked up in chains for the rest of my life,
       A   **G**   **D**
There's no one else to blame but me.
        D   **A**   **G**   **D**
The start of the day's just the end of the night,
       A   **G**   **D**
I'm feeling like I'm lost at sea.
  A   **G**   **D**
Sometimes is just seems so simple,
     A   **G**   **D**
I'm feeling like I'm down on my knees,
  A   **G**   **D**
Sometimes like a man in the middle,
   Em7   **G**
I don't know my own mind,
                A
Won't you let me be?

Chorus 2   As Chorus 1

                    D   **Cadd9**
Chorus 3   Coz I can find you living in my world
               A   **D**
Dragging me round just like a dog on a lead
           Fsus2   **G**
But when I find my own peace of mind, I,
        E   **A**
I will believe, _____

I will be - (lieve.)

D	**Cadd9**	**A**	**D**	

 - lieve.

Fsus2	**G**	**E**	**A**	

‖: **D** | **Cadd9** | **A** | **D** | |

| **Fsus2** | **G** | **E** | **A** | :‖

| **D** **A** | **G** **D** | **A** **G** | **D** | ‖

It's Better People

Words & Music by
Noel Gallagher

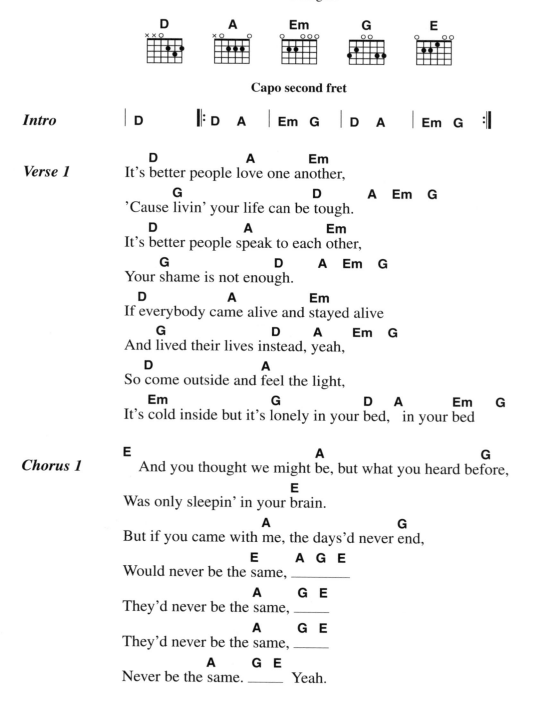

Capo second fret

Intro | D | D A | Em G | D A | Em G :|

Verse 1
       D   A   Em
It's better people love one another,
    G   D   A Em G
'Cause livin' your life can be tough.
       D   A   Em
It's better people speak to each other,
    G   D   A Em G
Your shame is not enough.
     D   A   Em
If everybody came alive and stayed alive
    G   D   A Em G
And lived their lives instead, yeah,
    D   A
So come outside and feel the light,
   Em   G   D A   Em   G
It's cold inside but it's lonely in your bed,   in your bed

Chorus 1
  E   A   G
And you thought we might be, but what you heard before,
                  E
Was only sleepin' in your brain.
               A   G
But if you came with me, the days'd never end,
         E   A G E
Would never be the same, _____
        A   G E
They'd never be the same, _____
        A   G E
They'd never be the same, _____
     A   G E
Never be the same. _____ Yeah.

Link | D   A | Em   G | D   A | Em   G   ‖

Verse 2

      D   A   Em
It's better people love one another,

        G   D   A Em G
'Cause livin' your life can be tough.

      D   A   Em
It's better people speak to each other,

        G   D   A Em G
Your shame is not enough.

      D   A   Em
If everybody came alive and stayed alive

        G   D   A   Em G
And lived their lives instead, yeah,

      D   A   Em
So come outside and feel the light,

     Em   G   D A   Em   G
It's cold inside and it's lonely in your bed,   in your bed

Chorus 2

     E   A   G
    And you thought we might be, but what you heard before,

                E
Was sleepin' in your brain.

                    A   G
But if you came with me, the days'd never end,

                   E   A G E
Would never be the same, _____

                   A   G E
They'd never be the same, _____

                     A   G E
They'd just go by a different name, _____

             A   G E
Never be the same. _____

                                   Play 5 times

Solo   ‖: D   A | Em   G | D   A | Em   G :‖ D   ‖

(It's Good) To Be Free

Words & Music by
Noel Gallagher

G   Em   C   A   Am   D   D/F#

Intro | G | Em | Em | C | C |

| A | Am | Em | Em ||

Verse 1

Em
Head like a rock spinning round and round,

C
I found it in a hole sitting upside down,

A   Am   Em
You point the finger at me but I don't believe.

Em
Paint me a wish on a velvet sky,

C
You demand the answers but I don't know why,

A
In my mind

Am   Em
   There is no time.

Chorus 1

C   D   Em
The little things, they make me so happy,

C   D   Em
All I want to do is live by the sea.

C   D   Em
The little things, they make me so happy,

A   Am
But it's good, yes it's good,

Em   G
It's good to be free.

Verse 2

Em
So what would you say if I said to you,

    C
It's not in what you say, it's in what you do.

    A   Am   Em
You point the finger at me but I don't believe.

Em
Bring it on home to where we found,

    C
My head is like a rock sitting upside down,

A
In my mind

Am   Em
   There is no time.

Chorus 2

    C   D   Em
The little things, they make me so happy,

    C   D   Em
All I want to do is live by the sea.

    C   D   Em
The little things, they make me so happy,

          A   Am
But it's good, yes it's good,

              Em
It's good to be free.

       A   Am
Yeah it's good, yes it's good,

              Em
It's good to be free.

Solo   ‖: G D/F♯ | Em | C D | Em   :‖   *Play 3 times*

            | D   D/F♯ | Em | A | Am | Em |

            | Em | A | Am | Em ‖

Let's All Make Believe

Words & Music by
Noel Gallagher

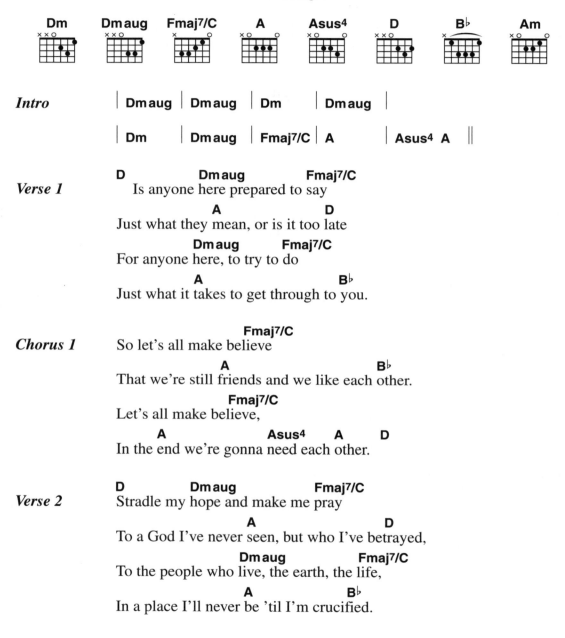

| | Dm | Dmaug | Fmaj⁷/C | A | Asus⁴ | D | B♭ | Am |

Intro | Dmaug | Dmaug | Dm | Dmaug |
| Dm | Dmaug | Fmaj⁷/C | A | Asus⁴ A ‖

Verse 1
$\quad$ D $\qquad$ Dmaug $\qquad$ Fmaj⁷/C
$\quad$ Is anyone here prepared to say
$\qquad\qquad$ A $\qquad\qquad$ D
Just what they mean, or is it too late
$\qquad\quad$ Dmaug $\qquad$ Fmaj⁷/C
For anyone here, to try to do
$\qquad\quad$ A $\qquad\qquad\qquad$ B♭
Just what it takes to get through to you.

Chorus 1
$\qquad\qquad\qquad$ Fmaj⁷/C
So let's all make believe
$\qquad\qquad\quad$ A $\qquad\qquad\qquad$ B♭
That we're still friends and we like each other.
$\qquad\qquad$ Fmaj⁷/C
Let's all make believe,
$\qquad\quad$ A $\qquad\quad$ Asus⁴ $\quad$ A $\quad$ D
In the end we're gonna need each other.

Verse 2
$\quad$ D $\qquad$ Dmaug $\qquad\quad$ Fmaj⁷/C
Stradle my hope and make me pray
$\qquad\qquad$ A $\qquad\qquad\qquad$ D
To a God I've never seen, but who I've betrayed,
$\qquad\qquad$ Dmaug $\qquad\quad$ Fmaj⁷/C
To the people who live, the earth, the life,
$\qquad\quad$ A $\qquad\qquad$ B♭
In a place I'll never be 'til I'm crucified.

> Fmaj7/C

So let's all make believe

> A   B♭

That we're still friends and we like each other.

> Fmaj7/C

Let's all make believe,

> A   B♭

In the end we'll need each other.

> Fmaj7/C

Let's all make believe

> A   B♭

That all mankind's gonna feed our brother.

> Fmaj7/C

Let's all make believe,

> A   Asus4   A

That in the end we'll all   grow (up.)

Bridge

| Dm | Am | Dm | Am |
up.
| Dm | Am | A | Asus4 A ||

Chorus 3

> B♭   Fmaj7/C

So let's all make believe

> A   B♭

That we're still friends and we like each other.

> Fmaj7/C

Let's all make believe,

> A   B♭

In the end we'll need each other.

> Fmaj7/C

Let's all make believe

> A   B♭

That all mankind's gonna feed our brother.

> Fmaj7/C

Let's all make believe,

> A

That in the end we'll all grow (up.)

Coda

| Dm | Dm aug | Dm | Dm aug |
up.
| Dm | Dm aug | Dm | Dm aug | Dm ||

Listen Up

Words & Music by
Noel Gallagher

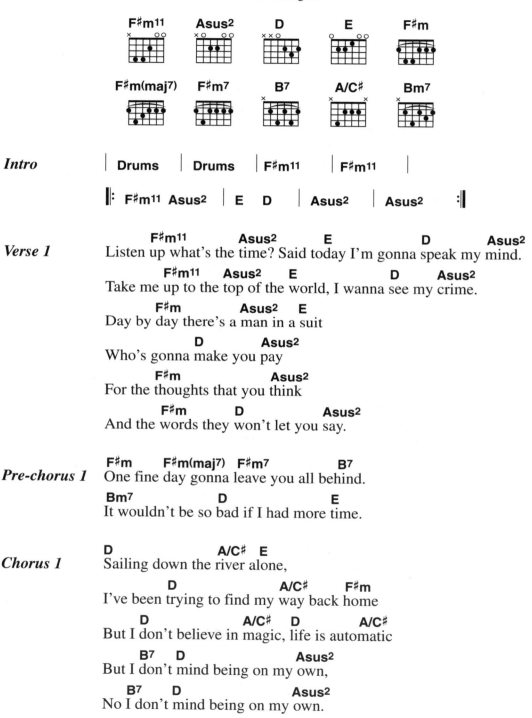

Intro

| Drums | Drums | F♯m11 | F♯m11 | |

‖: F♯m11 Asus2 | E D | Asus2 | Asus2 :‖

Verse 1

      F♯m11   Asus2   E   D   Asus2
Listen up what's the time? Said today I'm gonna speak my mind.

      F♯m11   Asus2   E   D   Asus2
Take me up to the top of the world, I wanna see my crime.

      F♯m   Asus2   E
Day by day there's a man in a suit

      D   Asus2
Who's gonna make you pay

      F♯m   Asus2
For the thoughts that you think

      F♯m   D   Asus2
And the words they won't let you say.

Pre-chorus 1

F♯m   F♯m(maj7) F♯m7   B7
One fine day gonna leave you all behind.

Bm7   D   E
It wouldn't be so bad if I had more time.

Chorus 1

D   A/C♯ E
Sailing down the river alone,

      D   A/C♯   F♯m
I've been trying to find my way back home

      D   A/C♯ D   A/C♯
But I don't believe in magic, life is automatic

      B7 D   Asus2
But I don't mind being on my own,

      B7 D   Asus2
No I don't mind being on my own.

Verse 2 As Verse 1

Pre-chorus 2 As Pre-chorus 1

Chorus 2

  D   A/C♯ B7
  Sailing down a river alone,
      D   A/C♯ F♯m
  I've been trying to find my way back home
    D   A/C♯ D   A/C♯
  But I don't believe in magic, life is automatic
   B7 D   Asus2
  But I don't mind being on my own,
    B7 D   Asus2
  No I don't mind being on my own,
    B7 D   Asus2
  But I don't mind being on my own,
     B7 D
  Said that I don't mind being on my (own.)

Link ‖: Asus2 | Asus2 | Asus2 | Asus2 :‖
     own.

Instrumental ‖: F♯m11 Asus2 | E D | Asus2 | Asus2 :‖

    | F♯m | F♯m(maj7) | F♯m7 | B7 | Bm7 | D | E | E ‖

Chorus 3

  D   A/C♯ E
  Sailing down the river alone,
      D   A/C♯ F♯m
  I've been trying to find my way back home
    D   A/C♯ D   A/C♯
  But I don't believe in magic, life is automatic
   B7 D   Asus2
  But I don't mind being on my own,
    B7 D   Asus2
  I said that I don't mind being on my own,
    B7 D   Asus2
  No I don't mind being on my own,
    B7 D   Asus2
  I said that I don't mind being on my own,
    B7 D   Asus2
  No I don't mind being on my own,
     B7 D
  I said that I don't mind being on my (own.)

  ‖: Asus2 | Asus2 | Asus2 | Asus2 :‖ *Repeat to fade*
  own.

Little James

Words & Music by
Liam Gallagher

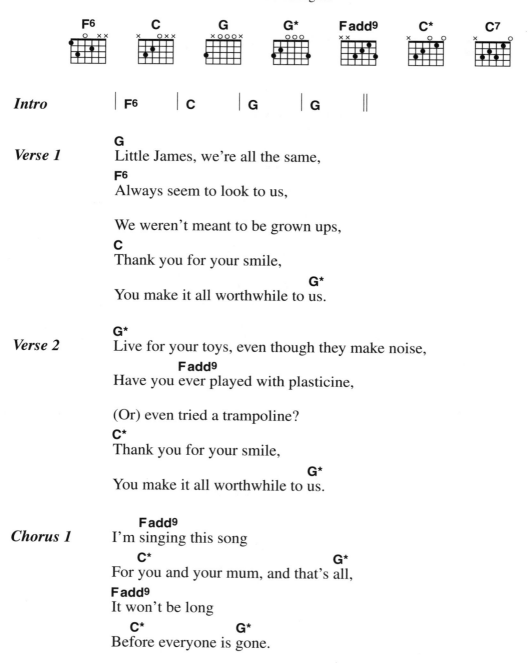

Intro | F6 | C | G | G ||

Verse 1
G
Little James, we're all the same,
F6
Always seem to look to us,

We weren't meant to be grown ups,
C
Thank you for your smile,
                              G*
You make it all worthwhile to us.

Verse 2
G*
Live for your toys, even though they make noise,
        Fadd9
Have you ever played with plasticine,

(Or) even tried a trampoline?
C*
Thank you for your smile,
                              G*
You make it all worthwhile to us.

Chorus 1
        Fadd9
I'm singing this song
        C*   **G***
For you and your mum, and that's all,
Fadd9
It won't be long
        C*   **G***
Before everyone is gone.

Link | G* | G* | F6 | F6 |

| C | C | G* | G* ‖

Verse 3
G*
Sailed out to sea, your mum you and me,
    Fadd9
You swam the oceans like a child.

Life around us was so wild,
C
Thank you for your smile,
        G*
You make it all worthwhile to us.

Chorus 2
    Fadd9
I'm singing this song
  C*   G*
For you and your mum, and that's all,
Fadd9
It won't be long
  C*   G*
Before everyone is gone.

Solo   ‖: G* | G* | F6 | F6 |

| C | C7 | G* | G* :‖

Outro   ‖: G* | G* | F6 | F6 |
    Na na na na na, na na na na,   na na na na, na na na

| C | C7 | G* | G*   :‖
  na, na na na na,   na na na na.   *Repeat to fade*

Live Forever

Words & Music by
Noel Gallagher

G   D   Am7   C   Em7   Fsus2

Verse 1

     G   D
Maybe I don't really want to know

          Am7
How your garden grows,

C   D
I just want to fly.

G   D
Lately, did you ever feel the pain

        Am7
In the morning rain

       C   D   Em7
As it soaks you to the bone.

Chorus 1

            D
Maybe I just want to fly,

                Am7
I want to live, I don't want to die,

         C
Maybe I just want to breathe,

      D   Em7
Maybe I just don't believe.

             D
Maybe you're the same as me,

            Am7
We see things they'll never see,

           Fsus2
You and I are gonna live forever.

Verse 2

       G   **D**
I said maybe I don't really want to know
          Am⁷
How your garden grows,
C   **D**
I just want to fly.
G   **D**
Lately, did you ever feel the pain
         Am⁷
In the morning rain
        C   **D**   **Em⁷**
As it soaks you to the bone.

Chorus 2

            D
Maybe I will never be
           Am⁷
All the things I want to be,
              C
But now is not the time to cry,
      D   **Em⁷**
Now's the time to find out why
             D
I think you're the same as me,
           Am⁷
We see things they'll never see,
          Fsus²
You and I are gonna live forever.

Guitar solo   Chords as Verse 1 and Chorus 1

Verse 3   As Verse 1

Chorus 3   As Chorus 1

        Am⁷   **Fsus²**
‖: Gonna live forever. :‖ *Play 6 times*

              Play 8 times
Guitar solo ‖: **Am⁷** | **Fsus²** :‖ **Am⁷** ‖

It's Gettin' Better (Man!!)

Words & Music by
Noel Gallagher

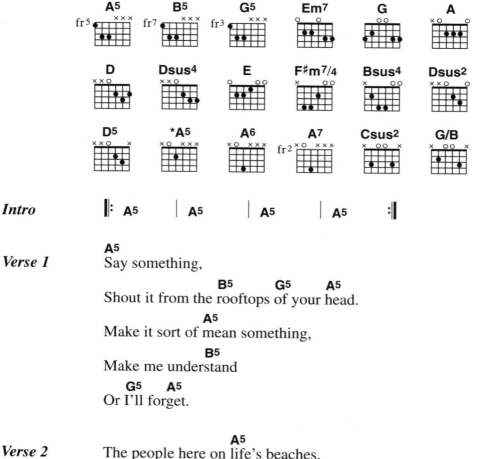

Intro   ‖: A5 | A5 | A5 | A5 :‖

Verse 1

A5
Say something,

       B5   G5   A5
Shout it from the rooftops of your head.

         A5
Make it sort of mean something,

        B5
Make me understand

  G5   A5
Or I'll forget.

Verse 2

           A5
The people here on life's beaches,

          B5   G5   A5
They wish upon the waves that hide the sand.

        A5
Let them know that life teaches you

    B5   G5   A5
To build a castle in your hand.

Bridge 1

           Em7   **G**   **A**
Maybe the songs that we sing are wrong,

           Em7   **G**   **A**
Maybe the dreams that we dream are gone,

             Em7   **G**   **D**
So bring it on home and it won't be long,

       Dsus4 D   **Dsus4 D**   **A E F♯m7/4**
Oh, oh, oh,   it's gettin' better man!

Chorus 1

(F♯m7/4)   **A**   **E F♯m7/4**
Hey! What was that you said to me?

                     A   **E F♯m7/4**
Just say the word and I'd be free?

                    Bsus4   **Dsus2**
And where the stars are shining bright,

             A   **E F♯m7/4**
We're gettin' better man!

             A   **E F♯m7/4**
And crashing in upon a wave

             A   **E F♯m7/4**
It's calling out beyond the grave

               Bsus4   **Dsus2**
And we're the fire in the sky,

             D5
It's gettin' better man!

‖: ***A5**   **A6** | **A7** | **A6** ***A5** | ***A5**   :‖

Verse 3

A5
Build something,

    B5   **G5**   **A5**
Build a better place and call it home.

      A5
Even if it means nothing,

             B5   **G5**   **A5**
You'll never ever feel that you're alone.

Bridge 2   As Bridge 1

Chorus 2

(F♯m7/4)   **A**   **E F♯m7/4**
Hey! What was that you said to me?

                   A   **E F♯m7/4**
Just say the word and I'd be free?

                    Bsus4   **Dsus2**
Yeah, as the fire in the sky,

             A   **E F♯m7/4**
It's gettin' better man!

cont.

                  A   **E** **F♯m7/4**
And crashing in upon a wave

                 A   **E** **F♯m7/4**
It's calling out beyond the grave

              Bsus4   **Dsus2**
And we're the fire in the sky,

It's gettin' better man!

‖: **D5** | **D5** | **D5** | **D5** :‖

Solo   ‖: **D** **Csus2** **G/B** | **Csus2** :‖ _Play 8 times_

‖: **D5** | **D5** | **D5** | **D5** | **D5** | **D5** |

| **D5** | **D5** :‖ **A**   **E**   **F♯m7/4** |
         It's gettin' better now.

Chorus 3

(**F♯m7/4**)   **A**   **E** **F♯m7/4**
Hey! What was that you said to me?

                A   **E** **F♯m7/4**
You told me one day I'd be free.

              Bsus4 **D**
And when the fire's burning bright,

             A   **E** **F♯m7/4**
I'm gettin' better man!

             A   **E** **F♯m7/4**
And crashing in upon a wave,

             A   **E** **F♯m7/4**
It's calling out beyond the grave,

             Bsus4 **D**
And when the stars are in the sky,

We're gettin' better man!

Outro   ‖: **A**   **E**   **F♯m7/4**
           Yeah, we're gettin' better man.

A   **E**   **F♯m7/4**
        Yeah, we're gettin' better man.

A   **E**   **F♯m7/4**   **Bsus4**
        Yeah, we're gettin' better man.

D
Yeah, we're gettin' better man. :‖ _Play 8 times_

| **D** | **D** | **A5** ‖

Magic Pie

Words & Music by
Noel Gallagher

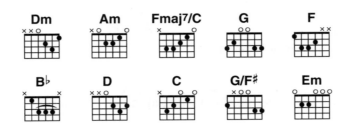

Intro ‖: Dm Am | Fmaj⁷/C G | Dm Am | Fmaj⁷/C G :‖ G

Verse 1

     Dm   Am
An extraordinary guy

     Fmaj⁷/C   G
Can never have enough today,

Dm   Am
He might live the long goodbye,

     Fmaj⁷/C   G
But that is not for me to say.

     Dm   Am
I dig his friends, I dig his shoes,

Fmaj⁷/C   G
He is just a child with nothing to lose

     Dm Am F G
But his mind,   his mind.

Verse 2

Dm   Am
They are sleeping while they dream

     Fmaj⁷/C   G
And then they want to be adored.

Dm   Am
'Cause they who don't say what they mean

     Fmaj⁷/C   G
Will live and die by their own sword.

     Dm   Am
I dig their friends, I dig their shoes,

Fmaj⁷/C   G
They are like a child with nothing to lose

     Dm Am   Fmaj⁷/C G
In their minds,   yeah, their minds.

Bridge 1

B♭   **F**   **G**
But I'll have my way,

B♭ **F**   **G**
 In my own time.

B♭ **F**   **G**
 I'll have my say,

B♭ **F**   **G**
 My star will shine.

Chorus 1

      D   **C**   **G**
'Cos you see me, I got my magic pie.

D   **C**   **G**
Think of me yeah, that was me, I was that passer by,

   G/F♯   **Em**   **B♭ F C G**
I've been and now I've gone.

Verse 3

Dm   **Am**
There are but a thousand days

  Fmaj7/C   **G**
Preparing for a thousand years.

Dm   **Am**
Many minds to educate

  Fmaj7/C   **G**
The people who have disappeared.

     Dm   **Am**
D'you dig my friends, d'you dig my shoes?

Fmaj7/C   **G**
I am like a child with nothing to lose

   Dm **Am**   **Fmaj7/C** **G**
But my mind,   yeah, my mind.

Bridge 2

B♭   **F**   **G**
But we'll have our way,

B♭ **F**   **G**
 In our own time.

B♭   **F**   **G**
 We'll have our say,

B♭   **F**   **G**
'Cos my star's gonna shine.

Chorus 2

```
          D               C            G
'Cos you see me, I got my magic pie.
D                   C                        G
Think of me yeah, that was me, I was that passer by,
     G/F♯                Em      B♭ F C
I've been and now I've gone.
G              B♭ F C
   Yeah, yeah.
G              B♭ F C
   Yeah, yeah.
G              B♭ F  C  G
   Yeah, yeah.       Ah. —
```

Middle

```
D      C      G
Ah,— ah,— ah, ——
D      C      G
Ah,— ah,— ah, ——
D      C      G
Ah,— ah,— ah, ——
D      C      G
Ah,— ah,— ah. ——
```

Chorus 3

```
          D               C            G
'Cos you see me, I got my magic pie.
D                   C                         G
Think of me yeah, that was me, I was that passer by.
D            C          G
Think of me, I got my magic pie.
D                   C                         G
Think of me yeah, that was me, I was that passer by.
     G/F♯                Em      B♭ F C
I've been and now I've gone.
G              B♭ F C
   Yeah, yeah.
G              B♭ F C
   Yeah, yeah.
G              B♭ F  C  G
   Yeah, yeah.
```

Married With Children

Words & Music by
Noel Gallagher

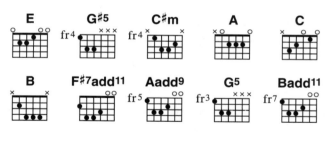

Intro   ‖: E G#5 | C#m A | C B | E   :‖

Chorus 1
    E   G#5   C#m   A
There's no need for you to say you're sorry,

     C   B   E
Goodbye, I'm going home.

      G#5   C#m   A
I don't care no more so don't you worry,

     C   B   E
Goodbye, I'm going home.

Verse 1
    A   E   A
I hate the way that even though you know you're wrong

          E
You say you're right.

    A   E
I hate the books you read and all your friends,

    F#7add11   Aadd9
Your music's shite, it keeps me up all night,

      G5
Up all night.

Chorus 2   As Chorus 1

Verse 2

        A   **E**
I hate the way that you are so sarcastic,

            A   **E**
And you're not very bright.

A   **E**
You think that everything you've done's fantastic,

        F$^\sharp$**7add**^{11} **Aadd**^{9}
Your music's shite, it keeps me up all night,

        G^5
Up all night.

Guitar solo   ‖: **E** **G**$^\sharp$**5** | **C**$^\sharp$**m A** | **C** **B** | **E**   :‖

        C$^\sharp$**m**   **G**$^\sharp$**5**   **Aadd**^{9}
Middle   And it will be nice to be alone

                            E
For a week or two.

C$^\sharp$**m**   **G**$^\sharp$**5**
But I know then I will be right,

Aadd^9 **Badd**^{11}
Right back here with you.

        Aadd^9 **G**$^\sharp$**5**
With you,   with you,

        F$^\sharp$**7add**^{11} **Badd**^{11}
With you,   with you,

        Aadd^9 **G**$^\sharp$**5**   **F**$^\sharp$**7add**^{11}
With you,   with you.

Chorus 3   As Chorus 1

The Masterplan

Words & Music by
Noel Gallagher

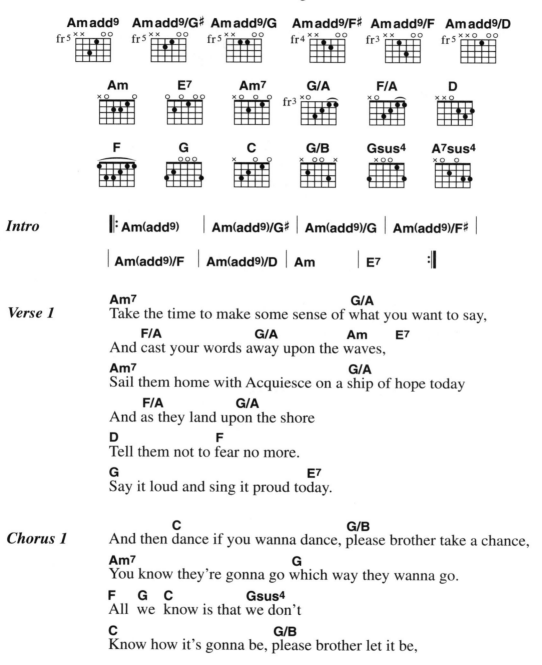

Intro

‖: Am(add9) | Am(add9)/G♯ | Am(add9)/G | Am(add9)/F♯ |

| Am(add9)/F | Am(add9)/D | Am | E7 :‖

Verse 1

   Am7   G/A
Take the time to make some sense of what you want to say,

       F/A   G/A   Am   E7
And cast your words away upon the waves,

   Am7   G/A
Sail them home with Acquiesce on a ship of hope today

     F/A   G/A
And as they land upon the shore

   D   F
Tell them not to fear no more.

   G   E7
Say it loud and sing it proud today.

Chorus 1

                C   G/B
And then dance if you wanna dance, please brother take a chance,

   Am7   G
You know they're gonna go which way they wanna go.

   F   G   C   Gsus4
All we know is that we don't

   C   G/B
Know how it's gonna be, please brother let it be,

cont.

Am7   G   F
Life on the other hand won't make us understand
G   Am7
We're all part of the masterplan.

Instrumental | A7sus4 | F/A G/A | Am7 E | Am7 |

| A7sus4 | F/A G/A | D F |

G   E7
Sing it loud and sing it loud today.

Verse 2

Am7   G/A
I'm not saying right is wrong, it's up to us to make
   F/A   G/A   Am   E7
The best of all the things that come our way,
     Am7   G/A
'Cos everything that's been has passed, the answer's in the looking glass.
     F/A   G/A
There's four and twenty million doors
D   F
On life's endless corridor.
G   E7
Say it loud and sing it proud today.

Chorus 2

          C   G/B
We'll dance if they wanna dance, please brother take a chance,
Am7   G
You know they're gonna go which way they wanna go.
F   G   C   Gsus4
All we know is that we don't
C   G/B
Know how it's gonna be, please brother let it be,
Am7   G   F
Life on the other hand won't make you understand
G   C G   C
We're all part of the ma - sterplan.

Coda

‖: C G/B | Am7 G | C G/B | Am7 G :‖

| F | G | E7 | E7 |

| Am(add9) | Am(add9)/G♯ | Am(add9)/G | Am(add9)/F♯ |

| Am(add9)/F | Am(add9)/D | Am | E7 | Am7 ‖

123

Morning Glory

Words & Music by
Noel Gallagher

Em   Dsus2   D5   A7sus4   Cadd9   B   Asus4

Play 4 times

Intro ‖: Em | Em | Em | Em :‖

‖: Em | Dsus2 | Em | Dsus2 :‖

Verse 1

Em   Dsus2
All your dreams are made

         Em   Dsus2
When you're chained to the mirror on your razor blade,

Em   Dsus2   A7sus4 Cadd9
Today's the day that all the world will see.

        Em   Dsus2
Another sunny afternoon,

Em   Dsus2
Walking to the sound of my favourite tune,

        Em   Dsus2   A7sus4 Cadd9
Tomorrow never knows what it doesn't know too soon.

Bridge 1

Dsus2   Cadd9
Need a little time to wake up,

Dsus2   Cadd9
Need a little time to wake up, wake up,

Dsus2   Cadd9
Need a little time to wake up,

D5
Need a little time to rest your mind,

    B   Em Dsus2
You know you should, so I guess you might as well.

Chorus 1

```
Asus4               Cadd9
What's the story, Morning Glory?

Em   Dsus2      Asus4                  Cadd9
Well,           you need a little time to wake up, wake up,

Em   Dsus2  Asus4              Cadd9
Well,       what's the story, Morning Glory?

Em   Dsus2      Asus4                  Cadd9
Well,           you need a little time to wake up, wake up.
```

Instrumental *Play 4 times*

𝄆 Em | Em | Em | Em 𝄇

𝄆 Em | Dsus2 | Em | Dsus2 𝄇

Verse 3 As Verse 1

Bridge 2 As Bridge 1

Chorus 2 As Chorus 1

Chorus 3 As Chorus 1

Outro 𝄆 Em | Dsus2 | Em | Dsus2 𝄇 *Repeat to fade*

My Sister Lover

Words & Music by
Noel Gallagher

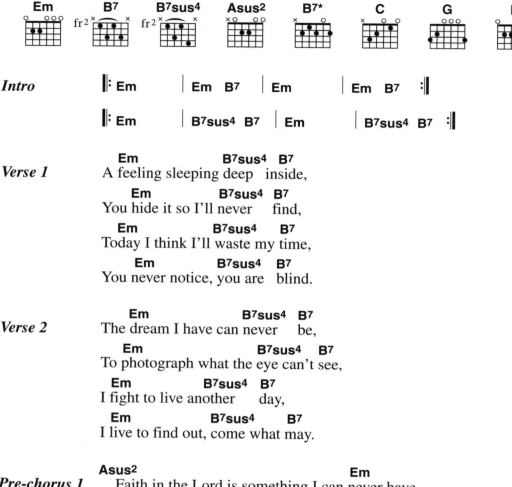

Intro

‖: Em | Em B7 | Em | Em B7 :‖

‖: Em | B7sus4 B7 | Em | B7sus4 B7 :‖

Verse 1

   Em   **B7sus4 B7**
A feeling sleeping deep inside,

    Em   **B7sus4 B7**
You hide it so I'll never find,

    Em   **B7sus4** **B7**
Today I think I'll waste my time,

     Em   **B7sus4** **B7**
You never notice, you are blind.

Verse 2

    Em   **B7sus4** **B7**
The dream I have can never be,

    Em   **B7sus4** **B7**
To photograph what the eye can't see,

    Em   **B7sus4** **B7**
I fight to live another day,

    Em   **B7sus4**   **B7**
I live to find out, come what may.

Pre-chorus 1

 Asus2   **Em**
 Faith in the Lord is something I can never have,

 Asus2   **Em**
Faith in my sister is gonna set me free,

 Asus2   **Em**
 Faith in the Lord is something I will never have,

    Asus2   **B7**
'Cos the Lord I know don't got no faith in me.

		Em C G B7*	Em C G B7*

Chorus 1   You're my lover,   you're my lover,

                                  Em C G B7*   **Em C G B7***

          You're my lover,   you're my lover.

Link | **Em** | **B7sus4 B7** | **Em** | **B7sus4 B7** ||

                           Em   **B7sus4 B7**

Verse 3   She gives me light when the sun goes down,

                           Em   **B7sus4 B7**

          She gives me strength when I don't   drown,

                           Em   **B7sus4 B7**

          She gives me hope and des - ti - ny,

                           Em   **B7sus4 B7**

          She gives me air that I can   breathe.

Pre-chorus 2   As Pre-chorus1

                           Em C G B7*   **Em**   **C G B7***

Chorus 2   You're my lover,   I'm your brother,

                           Em C G B7*   **Em**   **C G B7***

          You're my lover,   I'm your brother.

Solo ||: **Em** | **C** | **G** | **B7***   :|| *Play 4 times*

Pre-chorus 3   As Pre-chorus1

                           Em C G B7*   **Em**   **C G B7***

Chorus 3   You're my lover,   I'm your brother,

                           Em C G B7*   **Em**   **C G B7***

          You're my lover,   I'm your brother.

                           Em C G B7*   **Em**   **C G B7***

          You're my lover,   I'm your brother,

                           Em C G B7*   **Em**   **C G B7***

          You're my lover,   I'm your brother.

Outro | **E** | **B7sus4 B7** |

              ||: **Em** | **B7sus4 B7** | **Em** | **B7sus4 B7** :|| *Repeat to fade*

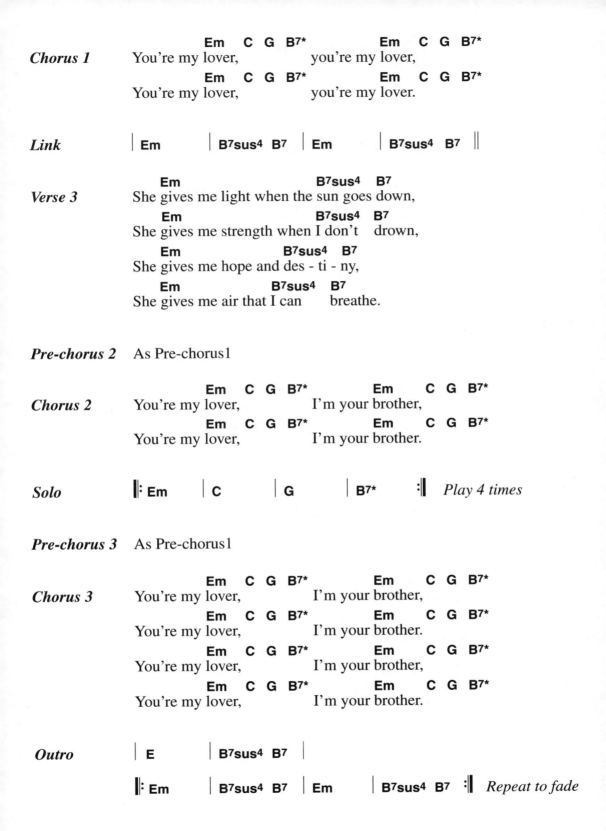

One Way Road

Words & Music by
Noel Gallagher

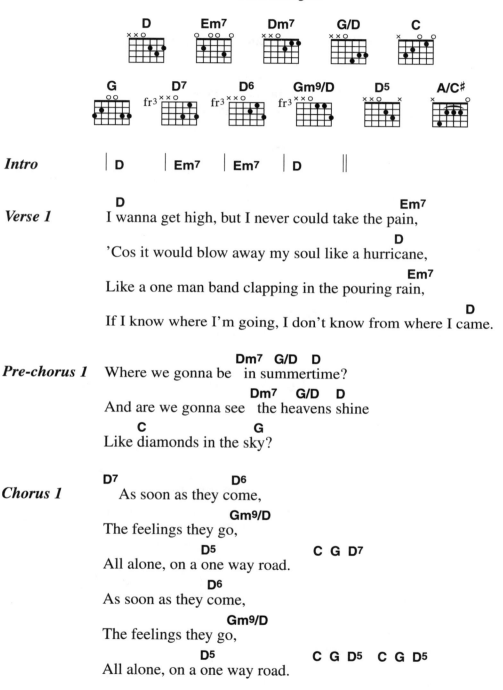

Intro | D | Em7 | Em7 | D ||

Verse 1
    D   **Em7**
I wanna get high, but I never could take the pain,

                                D
'Cos it would blow away my soul like a hurricane,

                                Em7
Like a one man band clapping in the pouring rain,

                                D
If I know where I'm going, I don't know from where I came.

Pre-chorus 1
                  Dm7 **G/D** **D**
Where we gonna be in summertime?

                   Dm7 **G/D** **D**
And are we gonna see the heavens shine

      C   **G**
Like diamonds in the sky?

Chorus 1
  D7   **D6**
  As soon as they come,

              Gm9/D
The feelings they go,

         D5   **C G D7**
All alone, on a one way road.

         D6
As soon as they come,

              Gm9/D
The feelings they go,

        D5   **C G D5   C G D5**
All alone, on a one way road.

Verse 2

        D   **Em7**
I wanna get high, but I really can't take the pain,

                                   D
'Cos it'll blow away my soul like a hurricane,

                                       Em7
I'm like a one man band clapping in the pouring rain,

                           C   **A/C♯**   **D**
If I know where I'm going, I don't know from where I came.

Pre-chorus 2

                       Dm7 **G/D** **D**
Where we gonna be in summertime?

                       Dm7 **G/D** **D**
And are we gonna see the heavens shine

      C   **G**
Like diamonds in the sky?

Chorus 2

D7   **D6**
  As soon as they come,

              Gm9/D
The feelings they go,

        D5   **C G D7**
All alone, on a one way road.

        D6
As soon as they come,

              Gm9/D
The feelings they go,

        D5
All alone, on a one way road.

Outro   ‖: **C** **G** | **D** | **C** **G** | **D**   :‖ *Play 3 times*

             | **C** **G** | **D** | **C** **G** | **D**   ‖

Put Yer Money Where Yer Mouth Is

Words & Music by
Noel Gallagher

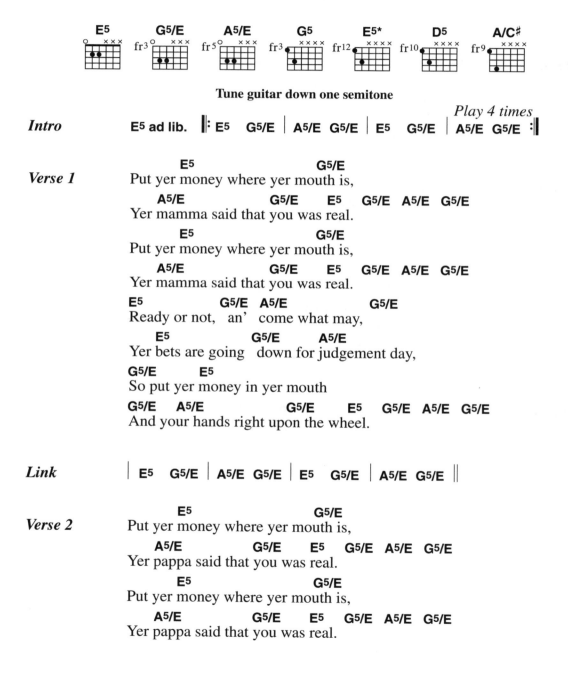

Tune guitar down one semitone

Intro   E5 ad lib. ‖: E5   G5/E | A5/E G5/E | E5   G5/E | A5/E G5/E :‖

Play 4 times

Verse 1
        E5   G5/E
Put yer money where yer mouth is,
     A5/E   G5/E   E5   G5/E A5/E G5/E
Yer mamma said that you was real.
        E5   G5/E
Put yer money where yer mouth is,
     A5/E   G5/E   E5   G5/E A5/E G5/E
Yer mamma said that you was real.
E5   G5/E A5/E   G5/E
Ready or not,   an' come what may,
    E5   G5/E   A5/E
Yer bets are going   down for judgement day,
G5/E   E5
So put yer money in yer mouth
G5/E A5/E   G5/E   E5   G5/E A5/E G5/E
And your hands right upon the wheel.

Link | E5 G5/E | A5/E G5/E | E5   G5/E | A5/E G5/E ‖

Verse 2
        E5   G5/E
Put yer money where yer mouth is,
     A5/E   G5/E   E5   G5/E A5/E G5/E
Yer pappa said that you was real.
        E5   G5/E
Put yer money where yer mouth is,
     A5/E   G5/E   E5   G5/E A5/E G5/E
Yer pappa said that you was real.

cont.

        E5   G5/E G5/E   G5/E
Ready or not,   an' come what may,

           E5   G5/E A5/E
Yer betcha going down   on judgement day,

G5/E   E5
So put yer money in yer mouth

G5/E A5/E   G5/E   E5 G5/E A5/E G5/E
And your hands right upon the wheel.

Chorus 1

| G5 | E5* | D5 | E5* | |
(Ah,) _____

| G5 | E5* | D5 | D5 | A/C♯ | A/C♯ ||
(Ah.) _____

Link

‖: E5 G5/E | A5/E G5/E | E5 G5/E | A5/E G5/E :‖

Verse 3   As Verse 1

Chorus 2

| G5 | E5* | D5 | E5* | |
(Ah,) _____
| G5 | E5* | D5 | D5 | A/C♯ |
(Ah.) _____

Outro

A/C♯   E5   G5/E A5/E
  Watch out,

       G5/E E5   G5/E A5/E
Hey, watch out,

       G5/E E5   G5/E A5/E
Ooh, watch out,

       G5/E E5   G5/E A5/E G5/E
Hey watch out.   Hey!

| E5 G5/E | A5/E G5/E | E5 G5/E | A5/E G5/E |
(Ah.) _____

| E5 G5/E | A5/E G5/E | E5 G5/E | A5/E G5/E | E5   ‖
_____ (Ah.) _____

Rock 'n' Roll Star

Words & Music by
Noel Gallagher

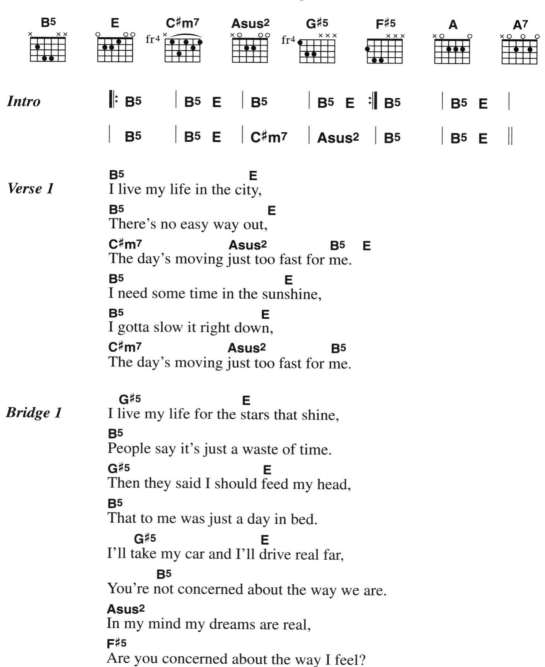

Intro

$\|{:}$ B5 | B5 E | B5 | B5 E $:\|$ B5 | B5 E |

| B5 | B5 E | C#m7 | Asus2 | B5 | B5 E $\|$

Verse 1

B5   E
I live my life in the city,

B5   E
There's no easy way out,

C#m7   Asus2   B5 E
The day's moving just too fast for me.

B5   E
I need some time in the sunshine,

B5   E
I gotta slow it right down,

C#m7   Asus2   B5
The day's moving just too fast for me.

Bridge 1

G#5   E
I live my life for the stars that shine,

B5
People say it's just a waste of time.

G#5   E
Then they said I should feed my head,

B5
That to me was just a day in bed.

G#5   E
I'll take my car and I'll drive real far,

B5
You're not concerned about the way we are.

Asus2
In my mind my dreams are real,

F#5
Are you concerned about the way I feel?

Chorus 1	**Asus² E** **B5**
	Tonight I'm a rock 'n' roll star,
	Asus² E **B5**
	Tonight I'm a rock 'n' roll star.

Verse 2   As Verse 1

Bridge 2   As Bridge 1

Chorus 2	**Asus² E** **B5**
	Tonight I'm a rock 'n' roll star,
	Asus² E **B5**
	Tonight I'm a rock 'n' roll star,
	Asus² E **B5**
	Tonight I'm a rock 'n' roll star.

Asus²

Middle   You're not down with who I am,

E   **B5**
Look at you now, you're all in my hands tonight.

Guitar solo   Chords as Verse 1

Chorus 3   As Chorus 2

Guitar solo

‖: **A A7** | **A A7** | **A A7** | **A A7** :‖

‖: **F♯5** | **E** | **F♯5** | **E** :‖

Outro

(E)   **F♯5 E**
It's just rock 'n' roll,
F♯5   E   **F♯5 E**
It's just rock 'n' roll,
F♯5   E   **F♯5 E**
It's just rock 'n' roll,
F♯5   E   **F♯5 E**
It's just rock 'n' roll,
F♯5   E   **F♯5 E**
It's just rock 'n' roll.

Repeat Outro ad lib. to fade

Rockin' Chair

Words & Music by
Noel Gallagher
(this work includes literal elements of "Growing Old", Words by Christopher Griffiths)

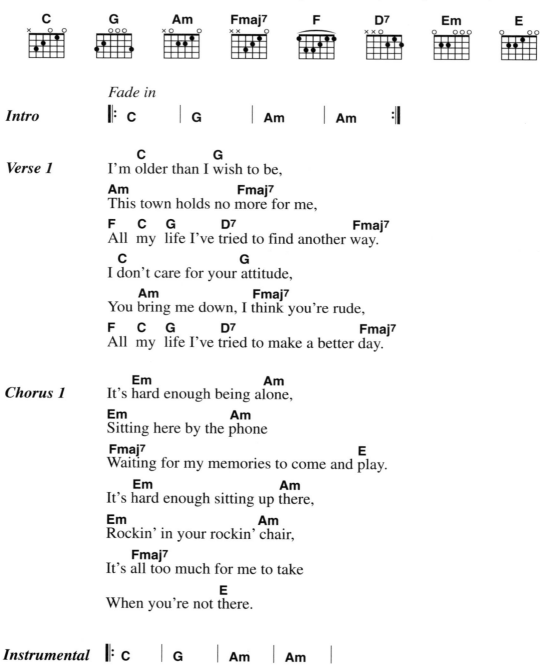

Intro

Fade in

‖: C | G | Am | Am :‖

Verse 1

    C   G
I'm older than I wish to be,

Am   Fmaj7
This town holds no more for me,

F   C   G   D7   Fmaj7
All my life I've tried to find another way.

    C   G
I don't care for your attitude,

    Am   Fmaj7
You bring me down, I think you're rude,

F   C   G   D7   Fmaj7
All my life I've tried to make a better day.

Chorus 1

    Em   Am
It's hard enough being alone,

Em   Am
Sitting here by the phone

Fmaj7   E
Waiting for my memories to come and play.

    Em   Am
It's hard enough sitting up there,

Em   Am
Rockin' in your rockin' chair,

    Fmaj7
It's all too much for me to take

                E
When you're not there.

Instrumental

‖: C | G | Am | Am |

| F C | G | D7 | Fmaj7 :‖

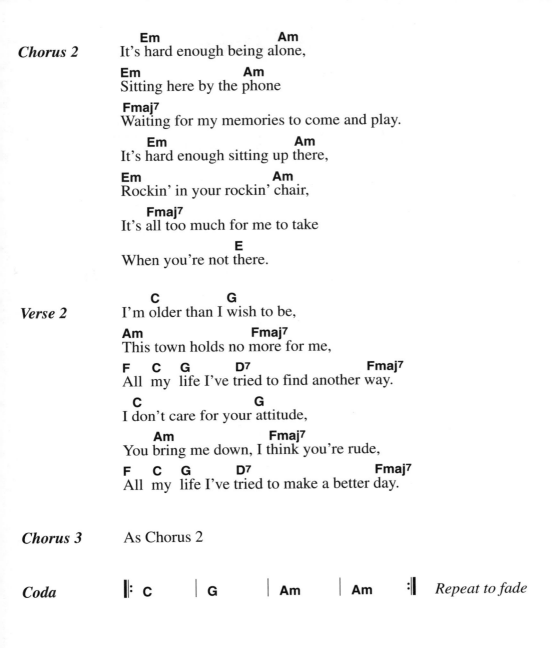

Chorus 2

     Em   Am
It's hard enough being alone,

     Em   Am
Sitting here by the phone

      Fmaj⁷
Waiting for my memories to come and play.

       Em   Am
It's hard enough sitting up there,

     Em   Am
Rockin' in your rockin' chair,

       Fmaj⁷
It's all too much for me to take

         E
When you're not there.

Verse 2

       C   G
I'm older than I wish to be,

    Am   Fmaj⁷
This town holds no more for me,

    F C G D⁷   Fmaj⁷
All my life I've tried to find another way.

      C   G
I don't care for your attitude,

      Am   Fmaj⁷
You bring me down, I think you're rude,

    F C G D⁷   Fmaj⁷
All my life I've tried to make a better day.

Chorus 3   As Chorus 2

Coda   ‖: C | G | Am | Am :‖ *Repeat to fade*

Roll It Over

Words & Music by
Noel Gallagher

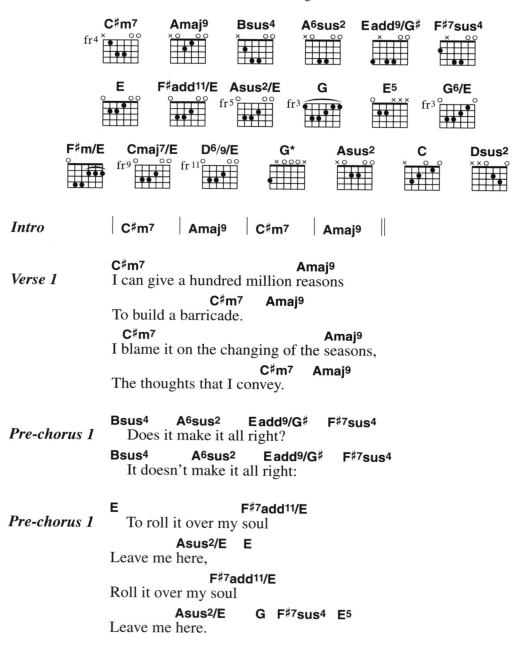

Intro | C#m7 | Amaj9 | C#m7 | Amaj9 ||

Verse 1

C#m7   Amaj9
I can give a hundred million reasons

            C#m7   Amaj9
To build a barricade.

     C#m7   Amaj9
I blame it on the changing of the seasons,

                    C#m7   Amaj9
The thoughts that I convey.

Pre-chorus 1

Bsus4   A6sus2   Eadd9/G#   F#7sus4
Does it make it all right?

Bsus4   A6sus2   Eadd9/G#   F#7sus4
It doesn't make it all right:

Pre-chorus 1

E   F#7add11/E
To roll it over my soul

        Asus2/E   E
Leave me here,

            F#7add11/E
Roll it over my soul

        Asus2/E   G F#7sus4 E5
Leave me here.

Verse 2

C#m7   Amaj9
Look around at all the plastic people

          C#m7 Amaj9
Who live without a care,

C#m7   Amaj9
Try to sit with me around my table

           C#m7 Amaj9
But never bring a chair.

Pre-chorus 2

Bsus4 A6sus2 Eadd9/G# F#7sus4
 Does it make it all right?

Bsus4   A6sus2   Eadd9/G# F#7sus4
 It doesn't make it all right:

Chorus 2

E   F#7add11/E Asus2/E   E
 To roll it over my soul, leave me here,

       F#7add11/E Asus2/E G F#7sus4
Roll it over my soul, leave me here.

Solo

| E | E 𝄆: G6/E | F#m | F#m/E | E   :𝄇 *Play 3 times*

| G6/E | Asus2/E | Cmaj7/E | D6/9/E |

| E | E | E | E ||

Chorus 3

E   F#7add11/E Asus2/E   E
 To roll it over my soul, leave me here,

      F#7add11/E Asus2/E E
Roll it over my soul, leave me here.

      F#7add11/E Asus2/E   E
To roll it over my soul, leave me here,

      F#7add11/E Asus2/E
Roll it over my soul, leave me here.

Outro

| G* | Asus2 | C | Dsus2 |

𝄆: E | Dsus2 | E | Dsus2 :𝄇 *Repeat to fade*

137

Roll With It

Words & Music by
Noel Gallagher

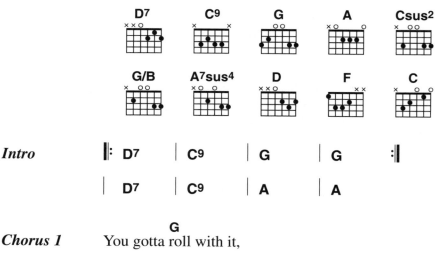

Intro

‖: **D7** | **C9** | **G** | **G** :‖

| **D7** | **C9** | **A** | **A**

Chorus 1

          G
You gotta roll with it,

You gotta take your time,

You gotta say what you say,
                         Csus2
Don't let anybody get in your way,
        G/B   **A7sus4**
'Cause it's all too much
       G
For me to take.

Verse 1

          G
Don't ever stand aside,

Don't ever be denied,

You wanna be who you'd be

If you're comin' with me.
  Csus2   **G/B**   **A7sus4**
I think I've got a feelin' I've lost inside,
  Csus2   **G/B**   **A7sus4**
I think I'm gonna take me away and hide,
   Csus2   **G/B**   **D**   **G**
I'm thinkin' of things that I just can't abide.

Bridge 1

      F   **G**

I know the roads down which your life will drive,

  F   **G**

I'll find the key that lets you slip inside.

F   **G**

Kiss the girl, she's not behind the door,

        F

But you know I think I recognise your face,

       C   **D**

But I've never seen you before.

Chorus 2   As Chorus 1

Guitar solo | **G** | **G** | **G** | **G** | **Csus² G/B** | **A⁷sus⁴** |

                   | **Csus² G/B** | **A⁷sus⁴** | **Csus² G/B** | **D** | **G** | **G** ‖

Bridge 2   As Bridge 1

Chorus 3   As Chorus 1

Verse 2

          G

Don't ever stand aside,

Don't ever be denied,

You wanna be who you'd be

If you're comin' with me.

Coda

     Csus²   **G/B**   **A⁷sus⁴**

‖: I think I've got a feelin' I've lost inside,

   Csus²   **G/B**   **A⁷sus⁴**

I think I've got a feelin' I've lost inside,

   Csus²   **G/B**   **A⁷sus⁴**

I think I've got a feelin' I've lost inside,

   Csus²   **G/B**   **A⁷sus⁴**

I think I've got a feelin' I've lost inside. :‖

             Play 3 times

Outro   ‖: **Csus² G/B** | **A⁷sus⁴** :‖ **G**   ‖

Round Are Way

Words & Music by
Noel Gallagher

G   Dm(add11)   Cadd9   Dsus2   *Cadd9   G6   Gm6   A7sus4

Play 4 times

Intro   ‖: G | Dm(add11) Cadd9 | G | Dm(add11) Cadd9 :‖

Verse 1

G   Dm(add11) Cadd9
The paper-boy is working before he   goes

G   Dm(add11) Cadd9
Lying to the teacher who knows he   knows

    G
He didn't and he should've brought his

Dm(add11) Cadd9 G   Dm(add11)   Cadd9
Lines in   yes-ter-day.

G   Dm(add11) Cadd9
Ernie bangs the sound and the day   be - gins,

      G   Dm(add11)   Cadd9
The letter box is open, your cash falls   in.

    G
I'll meet you at the office

        Dm(add11) Cadd9   G   Cadd9 Dm(add11) Cadd9
Just before the   staff clock-in.

Chorus 1

Dsus2   G
Round are way the birds are singing,

Dsus2   G
Round are way the sun shines   bright,

Dsus2   *Cadd9
Round are way the birds sing for yer,

                    G6
'Cause they already know yer,

                  Gm6   A7sus4 G
Yeah, they already know yer. ____

Instrumental   ‖: G | Dm(add11) Cadd9 | G | Dm(add11) Cadd9 :‖

Verse 2

        G   **Dm(add11)** **Cadd9**
The game is kicking off in around the   park,

         G   **Dm(add11)** **Cadd9**
It's twenty-five a side and before it's   dark

            G
There's gonna be a loser and you

Dm(add11) **Cadd9**   **G**   **Dm(add11)**   **Cadd9**
Know the next goal wins.

G   **Dm(add11)** **Cadd9**
Cab it to the front as it's called a   draw,

G   **Dm(add11)** **Cadd9**
Everybody's knockin' at yours once more,

G
Ernie bangs the sound and no-one's

Dm(add11)   **Cadd9**   **G**
Spoken since half past four.

      Cadd9   **G** **Cadd9**
La la la la   la la.

Chorus 2   As Chorus 1

Instrumental ‖: **G** | **Dm(add11) Cadd9** :‖ *Play 7 times*

               | **G**   **Cadd9** | **G**   **Cadd9** ‖

Chorus 3

Dsus2   **G**
Round are way the birds are singing,

Dsus2   **G**
Round are way the sun shines bright,

Dsus2   **G**
Round are way the birds are minging,

Dsus2   **G6**
Round are way it's alright,

Dsus2   ***Cadd9**
Round are way the birds sing for yer,

                G6
'Cause they already know yer,

              Gm6   **A7sus4**
Yeah, they already know yer. ——

Coda   ‖: **G** | **G** | **F** | **F** :‖ *Play 3 times*

          ‖: **G** | **Dm(add11) Cadd9** :‖ *Repeat to fade*

My Big Mouth

Words & Music by
Noel Gallagher

Intro

‖: Asus4 | Asus4 | Asus4 | Asus4 :‖

‖: A5 D Csus2 G5 | G5   F :‖   *Play 4 times*

Verse 1

(F)   A5 D Csus2 G5
Everybody knows

     F   A5   D Csus2 G5
But no-one's saying nothing.

     F   A5 D Csus2 G5
It was a sound so very loud

     F   A5 D Csus2 G5
That no-one can hear.

     F   A5 D Csus2 G5
I got something in my shoe,

      F   A5 D Csus2 G5
It's keeping me from walking

     F   A5 D Csus2 G5
Down the long and winding road

     F   A5 D Csus2 G5
And back home to you.

Bridge 1

     F
And round this town you've ceased to be,

     G5
That's what you get for sleeping with the enemy.

     F
Where angels fly you won't play,

     Em7   G5
So guess who's gonna take the blame for…

Chorus 1

(G5)   A5 D Csus2 G5
My big mouth

    F   A5 D Csus2 G5
And my big name,

      F   A5   D   Csus2
I'll put on my shoes while I'm walking

G5   F   A5 D Csus2 G5
Slowly down the hall of fame.

    F   A5 D Csus2 G5
Into my big mouth

      F   A5 D Csus2 G5
You could fly a plane,

      F   A5   D   Csus2
I'll put on my shoes while I'm walking

G5   F   A5 D Csus2
Slowly down the hall of fame,

G5   F   A5 D Csus2 G5
Slowly down the hall of fame.

| G5   F | A5 D Csus2 G5 ||

Verse 2

      F   A5 D Csus2 G5
I ain't never spoke to God

        F   A5   D Csus2 G5
And I ain't never been to heaven.

        F   A5 D Csus2 G5
But you assumed I knew the way,

        F   A5   D Csus2 G5
Even though the map was given.

        F   A5   D Csus2 G5
And as you look into the eyes

      F   A5   D Csus2 G5
Of a bloody cold assassin,

      F   A5 D Csus2 G5
It's only then you'll realise

        F   A5   D Csus2 G5
With who's life you have been messin'.

Bridge 2   As Bridge 1

Chorus 2

(G5)   A5 D Csus2 G5   F   A5 D Csus2 G5
My big mouth   and my big name,

      F   A5   D   Csus2
I'll put on my shoes while I'm walking

G5   F   A5 D Csus2 G5
Slowly down the hall of fame.

   F   A5 D Csus2 G5
Into my big mouth

      F   A5 D Csus2 G5
You could fly a plane,

      F   A5   D   Csus2
I'll put on my shoes while I'm walking

G5   F   A5 D Csus2
Slowly down the hall of fame,

G5   F   G5
Slowly down the hall of fame,

        F Em7 G5
Slowly down the hall of fame.

Solo

‖: A5 D Csus2 G5 | G5   F :‖ *Play 8 times*

Bridge 3

As Bridge 1

Chorus 3

(G5)   A5 D Csus2 G5   F   A5 D Csus2 G5
My big mouth   and my big name,

      F   A5   D   Csus2
I'll put on my shoes while I'm walking

G5   F   A5 D Csus2 G5
Slowly down the hall of fame.

         A5 D Csus2 G5
Into my big mouth

      F   A5 D Csus2 G5
You could fly a plane,

      F   A5   D   Csus2
I'll put on my shoes while I'm walking

G5   F
Slowly down the hall of fame.

Outro

‖: A5 D Csus2 G5   F
            Slowly down the hall of fame. :‖ *Play 3 times*

‖: A5 D Csus2 G5 | G5   F :‖ A5   ‖
           Play 5 times

144

Sad Song

Words & Music by
Noel Gallagher

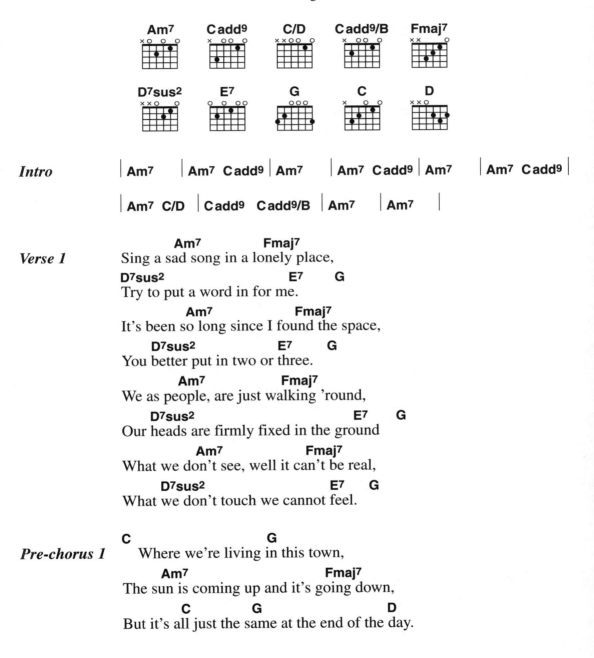

Intro | Am7 | Am7 Cadd9 | Am7 | | Am7 Cadd9 | Am7 | | Am7 Cadd9 |
| Am7 C/D | Cadd9 Cadd9/B | Am7 | Am7 | |

Verse 1

> Am7   Fmaj7
> Sing a sad song in a lonely place,
> D7sus2   E7   G
> Try to put a word in for me.
> Am7   Fmaj7
> It's been so long since I found the space,
> D7sus2   E7   G
> You better put in two or three.
> Am7   Fmaj7
> We as people, are just walking 'round,
> D7sus2   E7   G
> Our heads are firmly fixed in the ground
> Am7   Fmaj7
> What we don't see, well it can't be real,
> D7sus2   E7   G
> What we don't touch we cannot feel.

Pre-chorus 1

> C   G
> Where we're living in this town,
> Am7   Fmaj7
> The sun is coming up and it's going down,
> C   G   D
> But it's all just the same at the end of the day.

                                    C   Cadd9/B
cont.   And we cheat and we lie,
                       Am7   Fmaj7
                    Nobody says it's wrong so we don't ask why,
                                    C   G   D
                    'Cause it's all just the same at the end of the day.

                                              Fmaj7   C
Chorus 1   We're throwing it all ___ away,
                                              Fmaj7   C
                    We're throwing it all ___ away,
                                              Fmaj7   C   E7
                    We're throwing it all ___ away at the end of the day.

Link | Am7 | Am7 Cadd9 | Am7 | Am7 Cadd9 | Am7 | Am7 Cadd9 |

             | Am7 C/D | Cadd9 Cadd9/B | Am7 | Am7 |

                          Am7   Fmaj7
Verse 2   If you need it, something I can give,
                    D7sus2   E7   G
                    I know I'd help you if I can,
                          Am7   Fmaj7
                    If you're honest and you say that you did
                    D7sus2   E7   G
                    You know that I would give you my hand,
                          Am7   Fmaj7
                    Or a sad song in a lonely place.
                    D7sus2   E7   G
                    I'll try to put a word in for you,
                           Am7   Fmaj7
                    Need a shoulder? Well if that's the case
                    D7sus2   E7   G
                    You know there's nothing I wouldn't do.

                    C   G
Pre-chorus 2   Where we're living in this town,
                          Am7   Fmaj7
                    The sun is coming up and it's going down,
                             C   G   D
                    But it's all just the same at the end of the day.
                             C   Cadd9/B
                    When we cheat and we lie,
                          Am7   Fmaj7
                    Nobody says it's wrong so we don't ask why,
                             C   G   D
                    'Cause it's all just the same at the end of the day.

Chorus 2

Fmaj⁷   **C**
Don't throw it all ___ away,

Fmaj⁷   **C**
Don't throw it all ___ away,

Fmaj⁷   **C**
Don't throw it all ___ away,

Fmaj⁷   **C**   **Fmaj⁷**   **C**
Don't throw it all ___ away.

Chorus 3

Fmaj⁷   **C**
Throwing it all ___ away,

Fmaj⁷   **C**
Throwing it all ___ away,

Fmaj⁷   **C**
Throwing it all ___ away,

Fmaj⁷   **C**
Throwing it all ___ away,

Fmaj⁷   **C**
Throwing it all ___ away,

Fmaj⁷   **C**   **E⁷**
You're throwing it all ___ away at the end of the day.

Outro | **Am⁷** | **Am⁷ Cadd⁹** | **Am⁷** | **Am⁷ Cadd⁹** | **Am⁷** | **Am⁷ Cadd⁹** |

           | **Am⁷ C/D** | **Cadd⁹   Cadd⁹/B** | **Am⁷** | **Am⁷**   ‖

Shakermaker

Words & Music by
Noel Gallagher

(this work includes elements of "I'd Like To Teach The World To Sing",
Words & Music by Roger Cook, Roger Greenaway, Bill Backer & Billy Davis)

| B7 | B7add11 | E7 fr6 | Asus2 | E | A | F# | D |

Intro

| B7 | B7 | B7 | B7add11 | E7 | E7 |

| B7 | B7 | Asus2 | E | B7 | F# |

Verse 1

   B7
I'd like to be somebody else,

And not know where I've been.
   E7
I'd like to build myself a house
B7
Out of plasticine.

Chorus 1

A E   B7
Ah,___ shake along with me,
A E   B7   F#
Ah,___ shake along with me.

Verse 2

   B7
I've been driving in my car,

With my friend Mr. Soft.
E7
Mr. Clean and Mr. Ben
   B7
Are living in my loft.

Chorus 2   As Chorus 1

Guitar solo

| B7 | B7 | B7 | B7 | E7 | E7 |

| B7 | B7 | A | E | B7 | F# |

Middle

>   D   A   B7
> I'm sorry but I just don't know,
>
>   D   A   B7
> I know you said I told you so.
>
>   D   A   B7
> But when you're happy and you're feeling fine,
>
>   A   E
> Then you'll know that it's the right time,
>
>   A   E
> Yeah you'll know that it's the wrong time:
>
>   B7
> To shake along with me,
>
>   B7add11
> Shake along with me,
>
>   E7
> Shake along with me,
>
>   B7add11 | Asus2 | E | B7 | F♯ ‖
> Shake along with me.

Verse 3

> B7
> Mr. Sifter sold me songs
>
> When I was just sixteen.
> E7
> Now he stops at traffic lights
>   B7
> But only when they're green.

Chorus 3

> ‖: A E   B7
> Ah,___ shake along with me,
> A E   B7
> Ah,___ shake along with me. :‖
>
>   B7
> ‖: Shake along with me,
>   B7add11
> Shake along with me. :‖ *Play 4 times*

Instrumental | B7 | B7 | B7 | B7 | E   ‖

She's Electric

Words & Music by
Noel Gallagher

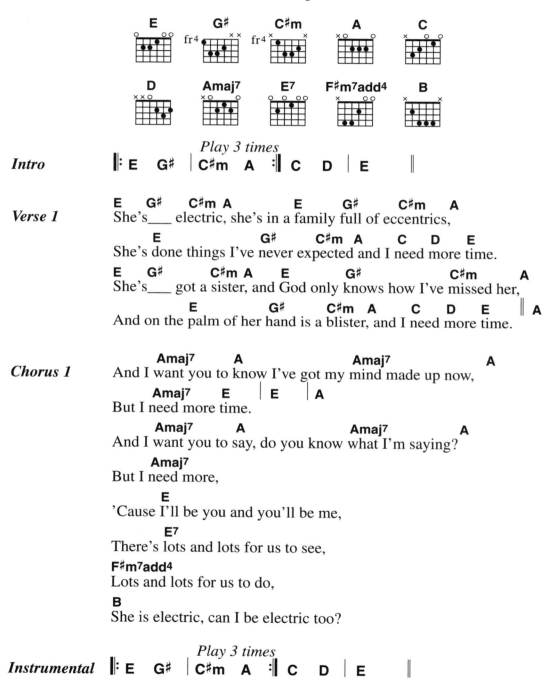

Play 3 times

Intro ‖: E G♯ | C♯m A :‖ C D | E ‖

Verse 1

E G♯ C♯m A   E G♯   C♯m   A
She's___ electric, she's in a family full of eccentrics,
            E   G♯   C♯m A C D E
She's done things I've never expected and I need more time.

E G♯   C♯m A   E   G♯   C♯m   A
She's___ got a sister, and God only knows how I've missed her,
              E   G♯   C♯m A C D E   ‖ A
And on the palm of her hand is a blister, and I need more time.

Chorus 1

        Amaj7   A   Amaj7   A
And I want you to know I've got my mind made up now,
        Amaj7   E | E | A
But I need more time.
        Amaj7   A   Amaj7   A
And I want you to say, do you know what I'm saying?
        Amaj7
But I need more,
        E
'Cause I'll be you and you'll be me,
        E7
There's lots and lots for us to see,
F♯m7add4
Lots and lots for us to do,
B
She is electric, can I be electric too?

Play 3 times

Instrumental ‖: E G♯ | C♯m A :‖ C D | E ‖

Verse 2

```
         E    G♯      C♯m   A    E       G♯      C♯m    A
         She's___ got a brother, we don't get on with one another,
              E    G♯     C♯m  A   C    D      E
         But I quite fancy her mother, and I think she likes me.
         E    G♯      C♯m  A   E       G♯      C♯m       A
         She's___ got a cousin in fact she's got 'bout a dozen,
         E      G♯     C♯m A    C      D      E      ‖ A
         She's got one in the oven, but it's nothing to do with me.
```

Chorus 2

```
                 Amaj⁷       A               Amaj⁷              A
         And I want you to know I've got my mind made up now,
                 Amaj⁷     E   │ E  │ A
         But I need more time.
                 Amaj⁷       A               Amaj⁷          A
         And I want you to say, do you know what I'm saying?
                 Amaj⁷
         But I need more,
                    E
         'Cause I'll be you and you'll be me,
                   E⁷
         There's lots and lots for us to see,
         F♯m⁷add⁴
         Lots and lots for us to do,
         B                              C   D │ E  │ C   D
         She is electric, can I be electric too?
```

Outro

```
                 E            C   D │ E  │ C   D
         Can I be electric too?
                 E            C   D │ E  │ C   D
         Can I be electric too?
                 E            C   D │ E  │
         Can I be electric too?
         C       │ D   │ E   │ E   │ ‖
         Ah._____
```

151

Slide Away

Words & Music by
Noel Gallagher

Am7   G   Fmaj9   Fadd9   G7   C   D7   E

Intro   ‖: Am7 | G Fmaj9 | Am7 | G Fmaj9 :‖

Verse 1

Am7   G   Fmaj9
Slide away and give it all you've got,

Am7   G   Fmaj9
My today fell in from the top.

Am7   G   Fmaj9
I dream of you and all the things you say,

Am7   G   Fmaj9
I wonder where you are now?

Verse 2

Am7   G   Fmaj9
Hold me now all the world's asleep,

Am7   G   Fmaj9
I need you now, you've knocked me off my feet.

Am7   G   Fmaj9
I dream of you, we talk of growing old

Am7   G   Fmaj9
But you said please don't.

Bridge 1

G   Fadd9
Slide in baby,

G   Fadd9
Together we'll fly,

G   Fadd9
I tried praying,

G   G7
But I don't know what you're saying to me.

Chorus 1

                 C   **G**   **Fmaj9**
Now that you're mine we'll find a way of chasing the sun.

          Am7   **G**
Let me be the one that shines with you

      D7   **Fmaj9**
In the morning when you don't know what to do.

       C   **G**   **Fmaj9**
Two of a kind, we'll find a way to do what we've done.

        Am7   **G**
Let me be the one that shines with you,

            Fmaj9 **D7**
And we can slide away,

     Fmaj9 **D7**   **Fmaj9** **D7 G** | **E**   ‖
Slide away,   slide away,   away.

Guitar solo   Chords as Verse 1 and Bridge 1

Verse 3   As Verse 1

Bridge 2

G   **Fadd9**
Slide in baby,

 G   **Fadd9**
Together we'll fly,

G   **Fadd9**
I've tried praying,

   G   **G7**
And I know just what you're saying to me.

Chorus 2

                 C   **G**   **Fmaj9**
Now that you're mine we'll find a way of chasing the sun.

          Am7   **G**
Let me be the one that shines with you

      D7   **Fmaj9**
In the morning when you don't know what to do.

       C   **G**   **Fmaj9**
Two of a kind, we'll find a way to do what we've done.

        Am7   **G**
Let me be the one that shines with you,

            Fmaj9 **D7**
And we can slide away,

     Fmaj9 **D7**   **Fmaj9**
Slide away,   slide away,

‖: **D7**   **Fmaj9 D7**   **Fmaj9**
    Slide away,   slide away. :‖ *Repeat ad lib. to fade*

Some Might Say

Words & Music by
Noel Gallagher

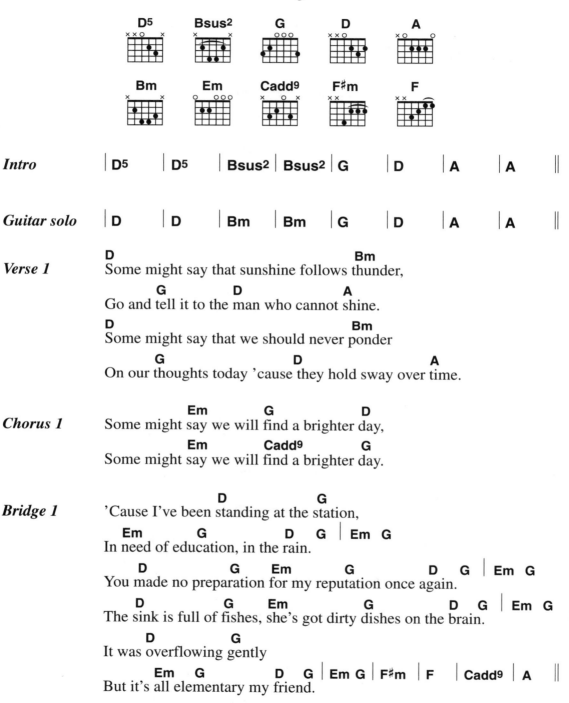

Intro | D5 | D5 | Bsus2 | Bsus2 | G | D | A | A   ‖

Guitar solo | D | D | Bm | Bm | G | D | A | A ‖

Verse 1

D
Some might say that sunshine follows thunder,   Bm

G   D   A
Go and tell it to the man who cannot shine.

D
Some might say that we should never ponder   Bm

G   D   A
On our thoughts today 'cause they hold sway over time.

Chorus 1

Em   G   D
Some might say we will find a brighter day,

Em   Cadd9   G
Some might say we will find a brighter day.

Bridge 1

D   G
'Cause I've been standing at the station,

Em   G   D   G | Em G
In need of education, in the rain.

D   G   Em   G   D   G | Em G
You made no preparation for my reputation once again.

D   G   Em   G   D   G | Em G
The sink is full of fishes, she's got dirty dishes on the brain.

D   G
It was overflowing gently

Em   G   D   G | Em G | F#m | F | Cadd9 | A ‖
But it's all elementary my friend.

Guitar solo | D | D | Bm | Bm |
| G | D | A | A ||

Verse 2

D   Bm
Some might say they don't believe in heaven,
              G   D   A
Go and tell it to the man who lives in hell.
D   Bm
Some might say you get what you've been given,
              G   D   G
If you don't get yours I won't get mine as well.

Chorus 2   As Chorus 1

Bridge 2

(G)   D   G
'Cause I've been standing at the station,
    Em   G   D   G | Em G
In need of education, in the rain.
              D   G   Em   G   D   G | Em G
You made no preparation for my reputation once again.
              D   G   Em   G   D   G | Em G
The sink is full of fishes, she's got dirty dishes on the brain.
D   G
How my dog's been itchin',
Em   G   D   G | Em G
Itchin' in the kitchen once again.

Outro

G   D   G | Em
Some might say,
G   D   G | Em
Some might say,
   (Em)   G   D   G | Em
|: You know some might say,
            G   D   G | Em
You know some might say.   :|

Repeat to fade

Stand By Me

Words & Music by
Noel Gallagher

Intro   ‖: G | B7sus4 | C   C2/B   D :‖

Verse 1
```
      G                              B7sus4
Made a meal and threw it up on Sunday,
      C        C2/B        D
I've __ gotta lot of things to learn.
      G                              B7sus4
   Said I would and I'll be leaving one day,
      C        C2/B    D
Before my heart starts to burn.
```

Bridge 1
```
      C                        D
   So what's the matter with you?
G        D        Em
Sing me something new.

                      A
Don't you know the cold and wind and rain don't know,
      C                        D
They only seem to come and go away.
```

Verse 2
```
      G                              B7sus4
Times are hard when things have got no meaning,
      C        C2/B        D
I've __ found a key upon the floor.
      G                    B7sus4
   Maybe you and I will not believe in
      C        C2/B    D
The things we find behind the door.
```

Bridge 2   As Bridge 1

Chorus 1

G   D   Am
 Stand by me, nobody knows, ____

        C Fmaj7 D7/F♯
The way it's gonna be.

G   D   Am
 Stand by me, nobody knows, ____

        C Fmaj7 D7/F♯
The way it's gonna be.

G   D   Am
 Stand by me, nobody knows, ____

        C Fmaj7 D7/F♯
The way it's gonna be.

G   D   Am
 Stand by me, nobody knows, ____

      C
Yeah, nobody knows, ____

D   G
 The way it's gonna be.

Verse 3

G   B7sus4
 If you're leaving, will you take me with you?

 C   C2/B D
I'm tired of talking on my phone.

G   B7sus4
There is one thing I can never give you,

 C   C2/B   D
My heart can never be your home.

Bridge 3

C   D
 So what's the matter with you?

G D   Em
Sing me something new.

      A
Don't you know the cold and wind and rain don't know,

   C   D
They only seem to come and go away.

Chorus 3

```
     G           D           Am
      Stand by me, nobody knows, ____
                           C  Fmaj7  D7/F#
     The way it's gonna be.
     G           D           Am
      Stand by me, nobody knows, ____
                           C  Fmaj7  D7/F#
     The way it's gonna be.
     G           D           Am
      Stand by me, nobody knows, ____
                           C  Fmaj7  D7/F#
     The way it's gonna be.
     G           D             Am
      Stand by me, nobody knows, ____

                    C
     Yeah, nobody knows, ____
     D                        Em   D  Cadd9
      The way it's gonna be.
     Cadd9                 Em       D  Cadd9
       The way it's gonna be, yeah,
     Cadd9         Em          D7/F#  Cadd9
       Maybe I can see, yeah.
     Cadd9                 A
       Don't you know the cold and wind and rain don't know,
             C                       D
     They only seem to come and go away. Hey!
```

Chorus 4

```
     G           D           Am
      Stand by me, nobody knows, ____
                           C  Fmaj7  D7/F#
     The way it's gonna be.
     G           D             Am
      Stand by me, nobody knows, ____
                           C  Fmaj7  D7/F#
     The way it's gonna be.
     G           D             Am
      Stand by me, nobody knows, ____
                           C  Fmaj7  D7/F#
     The way it's gonna be.
     G           D             Am
      Stand by me, nobody knows, ____

                    C
     Yeah, God only knows, ____
     D                      G
       The way it's gonna be.
```

Stay Young

Words & Music by
Noel Gallagher

D **Em7** **G** **A** **F#** **G/F#**

Intro

|: D | D | Em7 | G :|

Verse 1

    D   **Em7**   **G**
One way out is all you're ever gonna get from
    D   **Em7**
Those who'll hand them out.
            G
Don't ever let it upset you
            D   **Em7**
'Cause they'll put words into your mouths.

Pre-chorus 1

            G   **Em7**
They're making you feel so ashamed,
            G   **Em7**
They're making you taking the blame,
        G   **Em7**
Making you cold in the night.
            G
They're making you question
          A
Your heart and your soul

And I think that it's not quite right.

Chorus 1

    D   **F#**   **G**   **G/F#**
Hey, stay young and invincible,
         Em7   **A**
'Cause we know just what we are,
    D   **F#**   **G**   **G/F#**
And come what may we're unstoppable,
         Em7   **A** **G** **G/F#**
'Cause we know just what we are, _____

159

cont.

      Em⁷   **A**   **G** **G/F#**
Yeah we know just what we are, _____

      Em⁷
Yeah we know just what we are.

Solo 1   ‖: **D** | **D** | **Em⁷** | **G**   :‖

Verse 2
D   **Em⁷**
Feed your head with all the things

     G
You need when you're hungry,

D   **Em⁷**
Stay in bed and sleep

     G
All day as long as it's Sunday.

Pre-chorus 2
          D   **Em⁷**
'Cause they'll put words into my mouth,

     G   **Em⁷**
They're making us feel so ashamed,

     G   **Em⁷**
They're making me taking the blame.

     G   **Em⁷**
They're making me cold in the night,

     G   **A**
They're making me question my heart and my soul

And I think it's not quite right.

Chorus 2
D   **F#**   **G**   **G/F#**
Hey, stay young and invincible,

      Em⁷   **A**
'Cause we know just what we are,

  D   **F#**   **G**   **G/F#**
And come what may we're unstoppable,

      Em⁷   **A** **G** **G/F#**
'Cause we know just what we are, _____

      Em⁷   **A** **G** **G/F#**
Yeah we know just what we are, _____

      Em⁷
Yeah we know just what we are.

Solo 2 ‖: **D** | **D** | **Em7** | **G** :‖

| **Em7** | **G** | **Em7** | **G** | **Em7** | **G** |

| **A** | **A G** | **A** | **A** ‖

Chorus 3

D   **F♯**   **G**   **G/F♯**
Hey, stay young and invincible,

       Em7   **A**
'Cause we know just what we are,

    D   **F♯**   **G**   **G/F♯**
And come what may we're unstoppable,

       Em7   **A**
'Cause we know just what we are.

D   **F♯**   **G**   **G/F♯**
Hey, stay young and invincible,

       Em7   **A**
'Cause we know just what we are,

    D   **F♯**   **G**   **G/F♯**
And come what may my faith's unshakeable,

       Em7   **A**
'Cause we know just what we are.

Link | **D** | **F♯** | **G G/F♯** |

Coda

       Em7   **A**   **D F♯ G G/F♯**
'Cause we know just what we are, _____

       Em7   **A**   **D F♯ G G/F♯**
'Cause we know just what we are, _____

       Em7   **A**   **D F♯ G G/F♯**
'Cause we know just what we are, _____

       Em7   **A**   **D F♯**
'Cause we know just what we are. _____

G G/F♯   **Em7**   **A**
Know just what we are,

G G/F♯   **Em7**   **A**
Know just what we are,

G G/F♯   **Em7**   **A**
Know just what we are,

G G/F♯   **Em7**   **A**
Know just what we are.

Instrumental ‖: **D** | **D** | **D** | **D** :‖ *Repeat to fade*

161

Sunday Morning Call

Words & Music by
Noel Gallagher

Intro | B♭ | B♭ ||

Verse 1

    B♭   Dm   Dsus2
Here's another sunday morning call,

         B♭   Dm Dsus2
Yer hear yer head a-banging on the door.

B♭   Dm   Dsus2
   Slip your shoes on and then out you crawl

       B♭   Dm Dsus2   D
Into a day that couldn't give you more.   But what for?

Chorus 1

          G   D*
And in your head, do you feel

          Em   C
What you're not supposed to feel?

        G   D*
And you take what you want

        F   Em D*
But you don't get it for free.

       G   D*
You need more time

         Em   C   G
'Cos your thoughts and words won't last forever more

        D*   Em   C
And I'm not sure if it'll ever work out right.

       D5 Cadd9 G/B Cadd9   D5   Cadd9 G/B
But it's OK.   It's all right.

Verse 2

     B♭   Dm   Dsus2
When yer lonely and you start to hear
          B♭   Dm   Dsus2
The little voices in your head at night,
B♭   Dm   Dsus2
You will only sniff away the tears
         B♭   Dm Dsus2   D
And you can dance until the morning light.   At what price?

Chorus 2

        G   D*
And in your head, do you feel
          Em   C
What you're not supposed to feel?
       G   D*
And you take what you want
       F   Em D*
But you won't get it for free.
     G   D*
You need more time
       Em   C   G
'Cos your thoughts and words won't last forever more.
        D*   Em   C
And I'm not sure if it'll ever work out right.
      D5 Cadd9 G/B Cadd9   D5   Cadd9 G/B B♭5
But it's OK.   It's all right.

Solo

| G5 F5 | G5 B♭5 | C5 B♭5 | C5 B♭5 F5 | G5 F5 | G5 B♭5 |

| C5 B♭5 | C5 B5 C5 C♯5 | D* Dsus4 | D* | C | D* ‖

Chorus 3

        G   D*
And in your head, do you feel
          Em   C
What you're not supposed to feel?
       G   D*
And you take what you want
       F   Em D*
But you won't get hope for free.
     G   D*
You need more time
       Em   C   G
'Cause your thoughts and words won't last forever more.
        D*   F   C   G D*
But I'm not sure if it'll ever, ever, ever work out right,
       F   C   G D*
If it'll ever, ever, ever work out right,
       F   C   G
Will it ever, ever, ever work out right?

163

Step Out

Words & Music by
Noel Gallagher

(this work includes elements of "Uptight (Everything's Alright)", Words & Music by Stevie Wonder, Henry Cosby & Sylvia Moy)

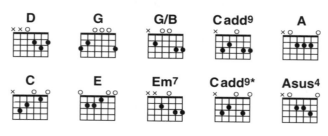

Intro   ‖: D   G │ G/B Cadd9 G/B │ Cadd9 G/B Cadd9 G/B │ D   *Play 4 times* :‖

Verse 1
                D   G   G/B   Cadd9
What she said, she said to me,
         G/B   Cadd9 G/B Cadd9   D
Take me high   on a mountain side.
                D   G   G/B   Cadd9
She was dressed up in leopard skin,
         G/B   Cadd9 G/B   Cadd9   D
And her soul   would never be denied.

Pre-chorus 1
          A
I met her down the disco in a beat up car,
              C   G   C G
She was burning down the road.
          A
She looked just like a star in a Jaguar,
              E   G
She needs to lighten her load.

Chorus 1
                D   Em7   Cadd9
And when you might think you're gonna cry,
                D   Em7   Cadd9
You will be all right, step out tonight.
        D   Em7   Cadd9
You might think you're gonna cry,
                D   Em7   Cadd9
It will be all right, step out tonight.

Verse 2

        D   **G** **G/B**   **Cadd⁹**
What I said, I   said to her,

G/B   **Cadd⁹** **G/B**   **Cadd⁹**   **D**
"I'm alive   when you walk that way.

           D   **G**   **G/B** **Cadd⁹**
Can you hear what I can hear?

G/B   **Cadd⁹** **G/B**   **Cadd⁹**   **D**
It's the sound of a   brand new day."

Pre-chorus 2

A
She met me down a disco in a beat up car,

         C   **G**   **C G**
I was burning down the road.

A
I can be a star in a Jaguar,

   E   **G**
I need to lighten my load.

Chorus 2

          D   **Em⁷**   **Cadd⁹**
Because you might think you're gonna cry,

               D   **Em⁷**   **Cadd⁹**
It will be all right, step out tonight.

D   **Em⁷**   **Cadd⁹**
You might think you're gonna cry,

               D   **Em⁷**   **Cadd⁹**
It will be all right, step out tonight.

Middle

G
     My whole life is sinking in the water,   **D**

   Cadd⁹*   **Asus⁴**
I need a ship not your sweet lip tonight.

Solo

‖: **D**   **G** | **G/B** **Cadd⁹** **G/B** | **Cadd⁹** **G/B** **Cadd⁹** **G/B** | **D**   :‖

| **G** | **G** | **D** | **D** |

| **Cadd⁹*** | **Cadd⁹*** | **Asus⁴** | **Asus⁴** ‖

Chorus 3

D   **Em⁷**   **Cadd⁹**
You might think you're gonna cry,

               D   **Em⁷**   **Cadd⁹**
It will be all right, step out tonight.

D   **Em⁷**   **Cadd⁹**
You might think you're gonna cry,

               D   **Em⁷**   **Cadd⁹**
It will be all right, step out tonight.

Chorus 4

         Em7   **Cadd9**
You might think you're gonna cry,

       D   **Em7**   **Cadd9**
It will be all right, step out tonight.

       D   **Em7**   **Cadd9**
And when you might think you're gonna cry,

       D   **Em7**   **Cadd9** **D**
It will be all right, step out tonight.

Outro

     Em7   **Cadd9**   **D**
Step out tonight,

     Em7   **Cadd9**   **D**
Step out tonight,

     Em7   **Cadd9**   **D**
Step out tonight, step out tonight,

     Em7   **Cadd9**   **D**
Step out tonight, step out tonight,

     Em7   **Cadd9**   **D**
Step out tonight, step out tonight,

     Em7   **Cadd9**   **D**
Step out tonight, step out tonight,

     Em7   **Cadd9**   **D**
Tonight, tonight, tonight,

       Em7   **Cadd9**   **D**
Tonight, tonight, tonight. _____

Supersonic

Words & Music by
Noel Gallagher

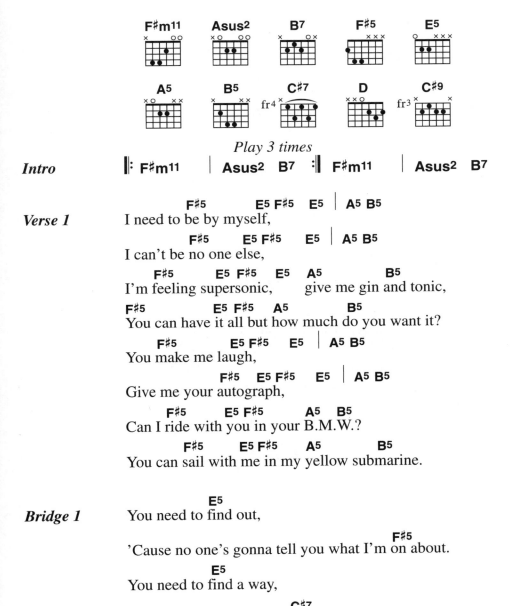

Play 3 times

Intro   ‖: F#m11 | Asus2 B7 :‖ F#m11 | Asus2 B7

Verse 1

       F#5   E5 F#5   E5 | A5 B5
I need to be by myself,

       F#5   E5 F#5   E5 | A5 B5
I can't be no one else,

      F#5   E5 F#5   E5 A5   B5
I'm feeling supersonic,   give me gin and tonic,

F#5   E5 F#5 A5   B5
You can have it all but how much do you want it?

      F#5   E5 F#5   E5 | A5 B5
You make me laugh,

        F#5   E5 F#5   E5 | A5 B5
Give me your autograph,

       F#5   E5 F#5   A5 B5
Can I ride with you in your B.M.W.?

       F#5   E5 F#5   A5   B5
You can sail with me in my yellow submarine.

Bridge 1

           E5
You need to find out,

                             F#5
'Cause no one's gonna tell you what I'm on about.

      E5
You need to find a way,

                 C#7
For what you want to say, but before tomorrow.

Chorus 1

     D   A5   E5   F#5
'Cause my friend said he'd take you home,

       D   A5   E5   F#5
He sits in a corner all alone.

D   A5   E5   F#5
He lives under a waterfall,

D   A5
Nobody can see him,

E5   F#5   D   A5
Nobody can ever hear him call,

E5   F#5   D A5
Nobody can ever hear him call.

Guitar solo

| E5 F#5 | D A5 | E5 F#5 | D A5 |

| E5 F#5 | E5 | E5 | C#9 | C#9 |

Verse 2

                F#5   E5 F#5   E5 | A5 B5
You need to be yourself,

                F#5   E5 F#5   E5 | A5 B5
You can't be no one else.

      F#5   E5   F#5 E5   A5   B5
I know a girl called Elsa, she's into Alka Seltzer,

      F#5   E5 F#5   A5   B5
She sniffs it through a cane on a supersonic train.

        F#5   E5 F#5 E5 | A5 B5
And she makes me laugh,

        F#5   E5 F#5   E5 | A5 B5
I got her autograph.

        F#5   E5 F#5 E5 A5   B5
She's done it with a doctor   on a helicopter,

      F#5   E5 F#5   E5 A5   B5
She's sniffin' in her tissue, sellin' the big issue.

Bridge 2

             E5
When she finds out,

                                      F#5
'Cause no ones's gonna tell her what I'm on about.

           E5
You need to find a way

                C#7
For what you want to say, but before tomorrow.

Chorus 2

          D   **A⁵**   **E⁵**   **F♯5**
'Cause my friend said he'd take you home,

       D   **A⁵**   **E⁵**   **F♯5**
He sits in a corner all alone.

D   **A⁵**   **E⁵**   **F♯5**
He lives under a waterfall,

D   **A⁵**
Nobody can see him,

E⁵   **F♯5**   **D**   **A⁵**
Nobody can ever hear him call,

E⁵   **F♯5**   **D**   **A⁵**
Nobody can ever hear him call.

Guitar solo   ‖: **E⁵** **F♯5** | **D**   **A⁵** :‖   *Repeat to fade*

Take Me Away

Words & Music by
Noel Gallagher

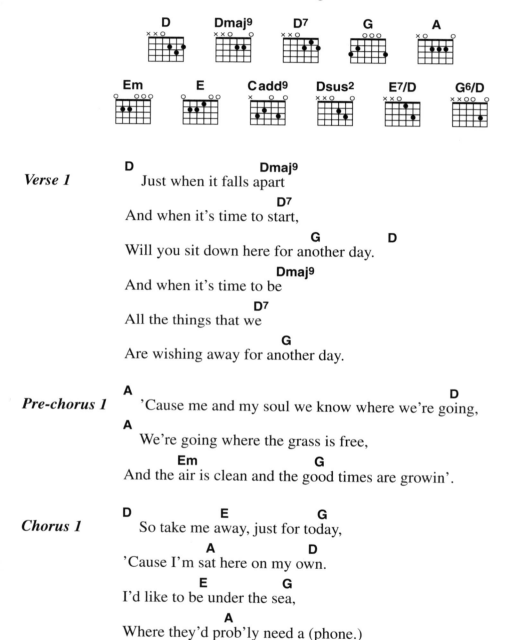

Verse 1

    D   **Dmaj9**
Just when it falls apart

                  D7
And when it's time to start,

                        G   **D**
Will you sit down here for another day.

                Dmaj9
And when it's time to be

           D7
All the things that we

                   G
Are wishing away for another day.

Pre-chorus 1

  A   **D**
'Cause me and my soul we know where we're going,

  A
We're going where the grass is free,

         Em   **G**
And the air is clean and the good times are growin'.

Chorus 1

  D   **E**   **G**
So take me away, just for today,

          A   **D**
'Cause I'm sat here on my own.

       E   **G**
I'd like to be under the sea,

          A
Where they'd prob'ly need a (phone.)

Link | D | D | Dmaj9 | Dmaj9 |

phone.

| D7 | D7 | G | G ||

Verse 2

D   Dmaj9
   And just when it falls apart,
                              D7
And just when it's time to start,
                              G
Will you sit down here for another day.

Pre-chorus 2

A   D
   'Cos me and my soul we know where we're going,
A
   We're going where the grass is free,
         Em   G
And the air is clean and the good times are growin'.

Chorus 2

D   E   G
   So take me away, just for today,
         A   D
'Cos I'm sat here on my own.
         E   G
I'd like to be under the sea,
         A   D
But I'd prob'ly need a phone.
         E   G
I could be you, if I wanted to,
         A   D
But I've never got the time.
              E   G
You could be me, and pretty soon you will be,
         A   Cadd9 D
But you're gonna need a line, _____
         Cadd9 D
Need a line, _____
         Cadd9 D
Need a line, _____
         Cadd9 | Cadd9 ||
Need a line. _____

Outro ‖: D | E | G | A :‖ *Play 6 times*

‖: Dsus2 | E7/D | G6/D | G6/D :‖ *Play 4 times*

| G6/D ‖

171

Talk Tonight

Words & Music by
Noel Gallagher

Em7   A7sus4   C7   G   Cadd9   D

Intro　　｜ Em7 　｜ Em7 　｜ A7sus4 ｜ A7sus4 ｜ C7 　｜ G 　｜ A7sus4 ｜ Cadd9 ‖

Verse 1

Em7
Sitting on my own, chewing on a bone,
　　A7sus4
A thousand million miles from home,
　　　　Cadd9　　**G**
When something hit me
A7sus4　　　　　　　**Cadd9**
Somewhere right between the eyes,
Em7
Sleeping on a plane, you know you can't complain,
　　　A7sus4
You took your last chance once again.
　　Cadd9　**G**
I landed, stranded,
A7sus4　　　　　**Cadd9**
Hardly even knew your name.

Chorus 1

　　　　　　　　G　　　**D**　**Em7**
I wanna talk tonight ____
　　　　Cadd9　**G**　　**D**　**Em7**
Until the morning light ____
　　　　　　Cadd9　　**G**　**D**　**Em7**
'Bout how you saved my life. ____
　　　　Cadd9　　　　**A7sus4**　**Cadd9**
And you and me see how we are,
　　　　　　　　A7sus4　**Cadd9**
You and me see how we are.

Link　　｜ Em7 　｜ Em7 　｜ A7sus4 ｜ A7sus4 ｜ C7 　｜ G 　｜ A7sus4 ｜ Cadd9 ‖

172

Verse 2

Em7
All your dreams are made of strawberry lemonade

    A7sus4
And you make sure I eat today.

    Cadd9   G
You take me walking

    A7sus4   Cadd9
To where you played when you were young.

    Em7
I'll never say that I won't ever make you cry,

    A7sus4
And this I'll say, I don't know why,

  Cadd9   G
I know I'm leaving

    A7sus4   Cadd9
But I'll be back another day.

Chorus 2

                 G   D Em7
I wanna talk tonight ____

            Cadd9 G   D Em7
Until the morning light ____

              Cadd9   G   D Em7
'Bout how you saved my life. ____

            Cadd9 G   D Em7
I wanna talk   tonight

D   Cadd9 D G   D Em7
'Bout how you saved my life.

Coda

                 Cadd9   G   D Em7
‖: 'Bout how you saved my life.   :‖ *Play 3 times*

G   D   Em7 Cadd9 D
I wanna talk tonight,

G   D   Em7 Cadd9
I wanna talk tonight,

G   D   Em7 Cadd9 D
I wanna talk tonight,

G   D   Em7 Cadd9
I wanna talk tonight.

Outro

| A7sus4 | Cadd9 | A7sus4 | Cadd9 | Em7 ‖

Underneath The Sky

Words & Music by
Noel Gallagher

Am7   Fsus2   Esus4   G   Gsus4   E7   F#m

Capo 2nd fret

Intro

‖: Am7 | Am7 :‖ Fsus2 | Fsus2 | Esus4 | G ‖

‖: Am7 Fsus2 | Gsus4 Am7 | Fsus2 Gsus4 | Am7 E7 :‖

Verse 1

Am7   Fsus2   Gsus4 Am7
Underneath the sky of red

     Fsus2   Gsus4   Am7 E7
There's a story-teller sleeping alone.

   Am7   Fsus2   Gsus4 Am7
He has no face and he has no name

     Fsus2   Gsus4   Am7   E7
And his whereabouts are sort of unknown.

Chorus 1

(E7) Fsus2   G   Am7
All he needs is his life in a suitcase,

   Fsus2   G   Am7
It belongs to a friend of a friend.

     Fsus2   G   Am7
And as we drink to ourselves we'll amuse ourselves

Fsus2
Underneath the sky,

E7   G   F#m Fsus2 Am7 G F#m Fsus2
Underneath the sky again, _____

Am   G   F#m Fsus2 Am7 G Fsus2 Esus4 G
Underneath the sky again. _____

Link 1

| Am7 Fsus2 | Gsus4 Am7 | Fsus2 Gsus4 | Am7 E7 ‖

Verse 2

     Am⁷   **Fsus²**   **Gsus⁴**   **Am⁷**
So wish me away to an unknown place,

     Fsus²   **Gsus⁴**   **Am⁷ E⁷**
I'm living in a land with no name.

      Am⁷   **Fsus²**   **Gsus⁴**   **Am⁷**
I'll be making a start with my brand new heart,

Fsus²   **Gsus⁴**   **Am⁷ E⁷**
Stop me making sense once again.

Chorus 2

(E⁷)   **Fsus²**   **G**   **Am⁷**
All we need is our lives in a suitcase,

     Fsus²   **G**   **Am⁷**
They belong to a friend of a friend.

      Fsus²   **G**   **Am⁷**
And as we drink to ourselves we'll amuse ourselves

Fsus²
Underneath the sky,

Esus⁴   **G** **F♯m Fsus² Am⁷ G F♯m Fsus²**
Underneath the sky again, ⎯⎯⎯⎯⎯⎯

Am   **G** **F♯m Fsus² Am⁷ G Fsus² Esus⁴ G**
Underneath the sky again. ⎯⎯⎯⎯⎯⎯

Piano solo ‖: **Am⁷ Fsus²** | **Gsus⁴ Am⁷** | **Fsus² Gsus⁴** | **Am⁷ E⁷** :‖

Chorus 3

(E⁷)   **Fsus²**   **G**   **Am⁷**
All we need is our lives in a suitcase,

     Fsus²   **G**   **Am⁷**
They belong to a friend of a friend.

      Fsus²   **G**   **Am⁷**
And as we drink to ourselves we'll amuse ourselves

Fsus²
Underneath the sky,

Esus⁴   **G** **F♯m Fsus² Am⁷ G F♯m Fsus²**
Underneath the sky again, ⎯⎯⎯⎯⎯⎯

Am   **G** **F♯m Fsus² Am⁷ G F♯m Fsus²**
Underneath the sky again. ⎯⎯⎯⎯⎯⎯

Coda

Am⁷   **G** **F♯m Fsus² Am⁷ G F♯m Fsus²**
Underneath the sky again, ⎯⎯⎯⎯⎯⎯

Am⁷   **G** **F♯m Fsus²**
Underneath the sky again, ⎯⎯

Am⁷   **G**   **Fsus²**
Underneath the sky again, ⎯⎯

       Esus⁴   **G**   **Am⁷**
Again, (again,) again, (again.) Underneath the sky again.

Up In The Sky

Words & Music by
Noel Gallagher

Intro | G5 | G5 | G5 | G5 | G5 | G5 | Gsus4 |

| Gsus4 | Gadd#11 | Gsus4 | G5 | G5 | G5 ||

Verse 1

G5
Hey you! Up in the sky

Learning to fly, tell me how high
       Fadd9   **C**
Do you think you'll go
         G5
Before you start falling?

Hey you, up in a tree,

You wanna be me, well that couldn't be
       Fadd9   **C**
'Cause the people here,
            G5   **C** **Csus4** **C**
They don't hear you calling.
         A7   **G5**
How does it feel when you're inside me?

Verse 2

(G5)
Hey you! Wearing the crown,

Making no sound, I heard you feel down,
       Fadd9   **C**
Well that's just too bad,
      G5
Welcome to my world.

cont.

(G5)
Hey you! Stealing the light,

I heard that the shine's gone out of your life,

           Fadd9   **C**
Well that's just too bad,

           G5   **C** **Csus4** **C**
Welcome to my world.

          A7   **G5**
How does it feel when you're inside me?

Bridge 1

D
You'll need assistance with the things that you

        Em   **D**   **C**
Have never ever seen,

D
It's just a case of never breathing out

      Em   **D** **C** **A7**
Before you've breathed it in.

            C/D   **G5** | **G5** | **G5** | **G5** ‖
How does it feel when you're inside?

| **G5** | **G5** | **G5** |

       Gsus4   **Gadd#11** **Gsus4**
I can feel you, can you feel   me?

| **G5** | **G5** | **G5** | **G5** ‖

Verse 3   As Verse 1

Bridge 2   As Bridge 1

Instrumental | **G5** | **G5** | **G5** | **G5** |

‖: **G5** | **G5** | **G5** | **G5** |

| **Gsus4** | **Gsus4** | **Gadd#11** | **Gsus4** :‖   *Repeat to fade*

Whatever

Words & Music by
Noel Gallagher
(this work includes musical elements of "How Sweet To Be An Idiot", Music by Neil Innes)

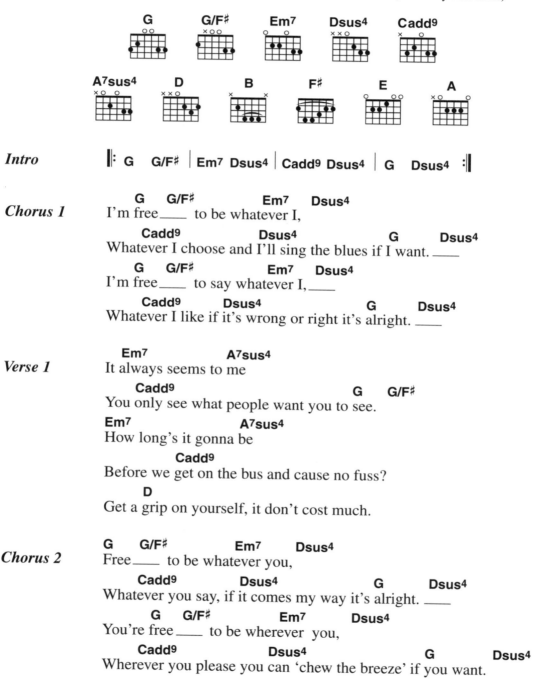

Intro

‖: G   G/F♯ | Em7 Dsus4 | Cadd9 Dsus4 | G   Dsus4 :‖

Chorus 1

         G   G/F♯   Em7   Dsus4
I'm free____ to be whatever I,

          Cadd9   Dsus4   G   Dsus4
Whatever I choose and I'll sing the blues if I want. ____

         G   G/F♯   Em7   Dsus4
I'm free____ to say whatever I,____

          Cadd9   Dsus4   G   Dsus4
Whatever I like if it's wrong or right it's alright. ____

Verse 1

        Em7   A7sus4
It always seems to me

        Cadd9   G   G/F♯
You only see what people want you to see.

        Em7   A7sus4
How long's it gonna be

             Cadd9
Before we get on the bus and cause no fuss?

         D
Get a grip on yourself, it don't cost much.

Chorus 2

        G   G/F♯   Em7   Dsus4
Free____ to be whatever you,

          Cadd9   Dsus4   G   Dsus4
Whatever you say, if it comes my way it's alright. ____

          G   G/F♯   Em7   Dsus4
You're free____ to be wherever you,

          Cadd9   Dsus4   G   Dsus4
Wherever you please you can 'chew the breeze' if you want.

Verse 2

    Em   **A⁷sus⁴**
It always seems to me
    Cadd⁹   **G** **G/F♯**
You only see what people want you to see.
  Em⁷   **A⁷sus⁴**
How long's it gonna be
       Cadd⁹
Before we get on the bus and cause no fuss?
    D
Get a grip on yourself, it don't cost much.

Chorus 3

   G **G/F♯**   **Em⁷** **Dsus⁴**
I'm free ____ to be whatever I,
    Cadd⁹   **Dsus⁴**   **G**   **Dsus⁴**
Whatever I choose and I'll sing the blues if I want. ____

Link 1

| **G** **G/F♯** | **Em⁷** **Dsus⁴** | **Cadd⁹** **Dsus⁴** | **G** **Dsus⁴** ‖

Bridge

   B   **G**   **B**   **G**
Here in my mind you know you might find
   B   **G** **B**   **F♯**
Something that's you, you thought you once knew
        E   **G**   **A** **E**
But now it's all gone and you know it's no fun,
   G   **A** **E**   **G**   **A** **E**
You know it's no fun, oh I know it's no fun.

Link 2

| **G** **G/F♯** | **Em⁷** **Dsus⁴** | **Cadd⁹** **Dsus⁴** | **G** **Dsus⁴** ‖

Chorus 4

   G **G/F♯**   **Em⁷** **Dsus⁴**
I'm free ____ to be whatever I,
    Cadd⁹   **Dsus⁴**   **G**   **Dsus⁴**
Whatever I choose and I'll sing the blues if I want. ____
G **G/F♯**   **Em⁷** **Dsus⁴**
Free ____ to say whatever I,
    Cadd⁹   **Dsus⁴**   **G**   **Dsus⁴**
Whatever I choose and I'll sing the blues if I want. ____

Coda

   G **G/F♯**   **Em⁷**   **Dsus⁴** **Cadd⁹**   **Dsus⁴**   **G** **Dsus⁴**
‖: Whatever you do, whatever you say, yeah I know it's alright.   :‖

Outro

‖: **G** **G/F♯** | **Em⁷** **Dsus⁴** | **Cadd⁹** **Dsus⁴** | **G** **Dsus⁴** :‖ *Repeat to fade*

179

Where Did It All Go Wrong?

Words & Music by
Noel Gallagher

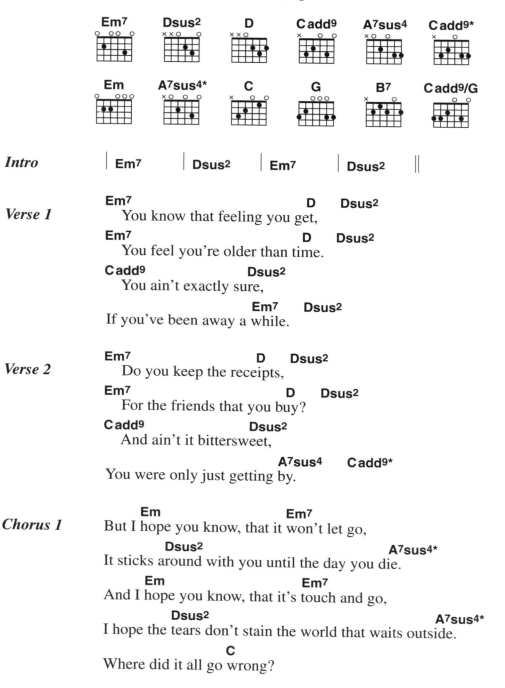

Intro | Em⁷ | Dsus² | Em⁷ | Dsus² ‖

Verse 1

Em⁷
You know that feeling you get,   D   Dsus²

Em⁷
You feel you're older than time.   D   Dsus²

Cadd⁹   Dsus²
You ain't exactly sure,

                          Em⁷   Dsus²
If you've been away a while.

Verse 2

Em⁷   D   Dsus²
Do you keep the receipts,

Em⁷   D   Dsus²
For the friends that you buy?

Cadd⁹   Dsus²
And ain't it bittersweet,

                          A⁷sus⁴   Cadd⁹*
You were only just getting by.

Chorus 1

        Em   Em⁷
But I hope you know, that it won't let go,

        Dsus²   A⁷sus⁴*
It sticks around with you until the day you die.

        Em   Em⁷
And I hope you know, that it's touch and go,

        Dsus²   A⁷sus⁴*
I hope the tears don't stain the world that waits outside.

                    C
Where did it all go wrong?

Link | Em⁷ | Dsus² | Em⁷ | Dsus² ‖

Verse 3

Em⁷   **Dsus²**
  And until you've repaid
Em⁷   **Dsus²**
  The dreams you bought for your lies,
Cadd⁹   **Dsus²**
  You'll be cast away
               A⁷sus⁴   **Cadd⁹***
Alone under stormy skies,
               A⁷sus⁴   **Cadd⁹***
Alone under stormy skies,

Chorus 2

        Em   **Em⁷**
But I hope you know, that it won't let go,
      Dsus²   **A⁷sus⁴***
It sticks around with you until the day you die.
        Em   **Em⁷**
And I hope you know, that it's touch and go,
      Dsus²   **A⁷sus⁴***
I hope the tears don't stain the world that waits outside.

Where did it all go (wrong?)

| **Cadd⁹***   **G** | **D**   **Em** | **Cadd⁹***   **G** | **D**   **Em** |
wrong?
| **Cadd⁹***   **G** | **D**   **Em** | **Cadd⁹*** | **B⁷** ‖

Chorus 3

        Em   **Em⁷**
But I hope you know, that it won't let go,
      Dsus²   **A⁷sus⁴***
It sticks around with you until the day you die.
        Em   **Em⁷**
And I hope you know, that it's touch and go,
      Dsus²   **A⁷sus⁴***
I hope the tears don't stain the world that waits outside.

Chorus 4

        Em   **Em⁷**
And I hope you know, that it won't let go,
      Dsus²   **A⁷sus⁴***
It sticks around with you until the day you die.
        Em   **Em⁷**
And I hope you know, that it's touch and go,
      Dsus²   **A⁷sus⁴***
I hope the tears don't stain the world that waits outside.
             Cadd⁹   **Cadd⁹/G** **Em**
Where did it all go wrong?

Who Feels Love?

Words & Music by
Noel Gallagher

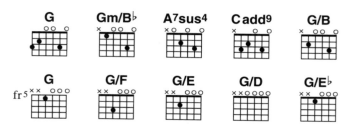

Tune top string down to D

Intro

| G | G | G | G ||

Verse 1

G
Found what I'd lost inside,

My spirit has been purified.

Take a thorn from my pride,

And hand in hand we'll take a walk outside.

Chorus 1

Gm/B♭
Thank you for the sun,

          A⁷sus⁴   Cadd⁹   G/B
The one that shines on everyone who feels love.

        Gm/B♭
Now there's a million years

          A⁷sus⁴   G
Between my fantasies and fears, I feel love.

Link

| G | G | G | G ||

Verse 2

G
I'm leaving all that I see,

Now all my emotions fill the air I breathe.

Chorus 2

Gm/B♭
Now you understand that this is

A⁷sus⁴   Cadd⁹   G/B
Not the promised land they spoke of.

          Gm/B♭
There's nothing more to be,

              A⁷sus⁴   G | G   ‖
If you can be the remedy who heals love.

Instrumental   ‖: G* G/F | G/E G/D :‖ *Play 3 times*

| G* G/F | G/E | G/E♭ | G/E♭ |

| G | G | G | Gm/B♭ A⁷sus⁴ | G | G | G |

‖: Gm/B♭ | A⁷sus⁴ | Cadd⁹ | G/B   :‖

Chorus 3

          Gm/B♭
I thank you for the sun,

          A⁷sus⁴   Cadd⁹   G/B
The one that shines on everyone who feels love.

          Gm/B♭
Now there's a million years

          A⁷sus⁴   Cadd⁹   G/B
Between my fantasies and fears, I feel love.

Chorus 4

          Gm/B♭
I thank you for the sun,

          A⁷sus⁴   Cadd⁹   G/B
The one that shines on everyone who feels love.

          Gm/B♭
Now there's a million years

          A⁷sus⁴   G
Between my fantasies and fears, I feel love.

Outro   ‖: G* G/F | G/E G/D | G* G/F | G/E G/D :‖ *Repeat to fade*

The Swamp Song

Words & Music by
Noel Gallagher

A5   C5   D5   Amadd9   Gadd9/A   Fadd9/A   Asus2

Intro   Ad lib, with feedback _____ :‖ A5 | A5 C5 D5 | A5 | A5 ‖:

Theme   ‖: A5 | A5 C5 D5 | A5 | A5 | A5 | A5 C5 D5 | A5 | A5 :‖
| Amadd9 | Amadd9 | Gadd9/A | Gadd9/A |
| Fadd9/A | Gadd9/A | A5 | A5 ‖

Solo 1 | A5 | A5 C5 D5 | A5 | A5 | A5 | A5 C5 D5 | A5 | A5 ‖

Link 1 | N.C. | N.C. | A5 | A5 | A5 | A5 | A5 | A5 ‖

Theme | A5 | A5 C5 D5 | A5 | A5 | A5 | A5 C5 D5 | A5 | A5 ‖

Solo 2   ‖: A5 | A5 C5 D5 | A5 | A5 | A5 | A5 C5 D5 | A5 | A5 :‖

Link 2 | A5 | A5 | A5 | A5 | A5 | A5 | A5 | A5 ‖
with effects ad lib. _____

Solo 3   ‖: A5 | A5 C5 D5 | A5 | A5 | A5 | A5 C5 D5 | A5 | A5 :‖

Theme | A5 | A5 C5 D5 | A5 | A5 | A5 | A5 C5 D5 | A5 | A5 |
| A5 | A5 | A5 | A5 ‖

Outro | Asus2 | Asus2 | Asus2 | Asus2 | A5 | A5 C5 D5 | A5 | A5 |
| A5 | A5 | A5 ‖
freely

Wonderwall

Words & Music by
Noel Gallagher

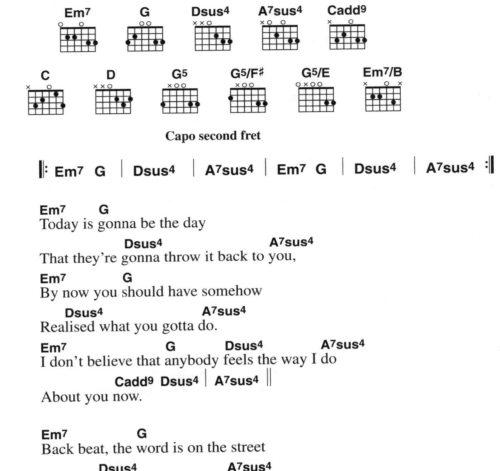

Capo second fret

Intro ‖: Em⁷ G │ Dsus⁴ │ A⁷sus⁴ │ Em⁷ G │ Dsus⁴ │ A⁷sus⁴ :‖

Verse 1

Em⁷　　**G**
Today is gonna be the day
　　　　　Dsus⁴　　　　　　　**A⁷sus⁴**
That they're gonna throw it back to you,
Em⁷　　　　**G**
By now you should have somehow
　　Dsus⁴　　　　　　　**A⁷sus⁴**
Realised what you gotta do.
Em⁷　　　　　　　**G**　　**Dsus⁴**　　　**A⁷sus⁴**
I don't believe that anybody feels the way I do
　　　　Cadd⁹ Dsus⁴│ **A⁷sus⁴** ‖
About you now.

Verse 2

Em⁷　　　　　**G**
Back beat, the word is on the street
　　　Dsus⁴　　　　　**A⁷sus⁴**
That the fire in your heart is out,
Em⁷　　　　　　**G**
I'm sure you've heard it all before,
　　Dsus⁴　　　　　　**A⁷sus⁴**
But you never really had a doubt.
Em⁷　　　　　　　**G**　　**Dsus⁴**　　　**A⁷sus⁴**
I don't believe that anybody feels the way I do
　　　　Em⁷ G　│ **Dsus⁴ A⁷sus⁴** ‖
About you now.

Bridge 1

       C   **D**   **Em**
And all the roads we have to walk are winding,

       C   **D**   **Em**
And all the lights that lead us there are blinding,

C   **D**   **G5**   **G5/F♯** **G5/E**
There are many things that I would like to say to you

      G5   **A7sus4**
But I don't know how.

Chorus 1

          Cadd9   **Em7** | **G**
Because maybe,

       Em7   **Cadd9**   **Em7 G**
You're gonna be the one that saves me,

      Em7 Cadd9 **Em7** | **G**
And after all,

       Em7   **Cadd9** **Em7** | **G** **Em7/B** | **N.C. A7sus4** ‖
You're my wonderwall.

Verse 3

Em7   **G**
Today was gonna be the day,

       Dsus4   **A7sus4**
But they'll never throw it back at you,

Em7   **G**
By now you should have somehow

   Dsus4   **A7sus4**
Realised what you're not to do.

Em7   **G**   **Dsus4**   **A7sus4**
I don't believe that anybody feels the way I do

      Em7 G | **Dsus4** **A7sus4** ‖
About you now.

Bridge 2

       C   **D**   **Em**
And all the roads that lead you there were winding,

       C   **D**   **Em**
And all the lights that light the way are blinding,

C   **D**   **G5**   **G5/F♯** **G5/E**
There are many things that I would like to say to you

      G5   **A7sus4**
But I don't know how.

Chorus 2

        Cadd9   **Em7** | **G**
I said maybe

        Em7   **Cadd9**   **Em7** | **G**
You're gonna be the one that saves me

        Em7 Cadd9 **Em7** | **G**
And after all

        Em7   **Cadd9** **Em7** | **G** **Em7** ‖
You're my wonderwall.

Chorus 3   As Chorus 2

        Cadd9   **Em7** | **G**
Outro   I said maybe

        Em7   **Cadd9**   **Em7** | **G**
You're gonna be the one that saves me,

        Em7   **Cadd9**   **Em7** | **G**
You're gonna be the one that saves me,

        Em7   **Cadd9**   **Em7** | **G** **Em7** ‖
You're gonna be the one that saves me.

Instrumental ‖: **Cadd9 Em7** | **G Em7** | **Cadd9 Em7** | **G Em7** :‖

oasis
UK DISCOGRAPHY

SINGLES

SUPERSONIC
Take Me Away
I Will Believe (live)
Columbia (demo)
Creation CRESCD176 (CD)
APRIL 1994

SUPERSONIC
Take Me Away
I Will Believe (live)
Creation CRE176T (12")
APRIL 1994

SUPERSONIC
Take Me Away
Creation CRE176 (7")
APRIL 1994

SUPERSONIC
Take Me Away
Creation CRECS176 (cassette)
APRIL 1994

SHAKERMAKER
D'Yer Wanna Be A Spaceman?
Alive (demo)
Bring It On Down (live)
Creation CRESCD182 (CD)
JUNE 1994

SHAKERMAKER
D'Yer Wanna Be A Spaceman?
Alive (demo)
Creation CRE182T (12")
JUNE 1994

SHAKERMAKER
D'Yer Wanna Be A Spaceman?
Creation CRE182 (7")
JUNE 1994

SHAKERMAKER
D'Yer Wanna Be A Spaceman?
Creation CRECS182 (cassette)
JUNE 1994

LIVE FOREVER
Up In The Sky (acoustic)
Cloudburst
Supersonic (live)
Creation CRESCD185 (CD)
AUGUST 1994

LIVE FOREVER
Up In The Sky (acoustic)
Cloudburst
Creation CRE185T (12")
AUGUST 1994

LIVE FOREVER
Up In The Sky (acoustic)
Creation CRE185 (7")
AUGUST 1994

LIVE FOREVER
Up In The Sky (acoustic)
Creation CRECS185 (cassette)
AUGUST 1994

CIGARETTES & ALCOHOL
I Am The Walrus (live)
Listen Up
Fade Away
Creation CRESCD190 (CD)
OCTOBER 1994

CIGARETTES & ALCOHOL
I Am The Walrus (live)
Fade Away
Creation CRE190T (12")
OCTOBER 1994

CIGARETTES & ALCOHOL
I Am The Walrus (live)
Creation CRE190 (7")
OCTOBER 1994

CIGARETTES & ALCOHOL
I Am The Walrus (live)
Creation CRECS190 (cassette)
OCTOBER 1994

WHATEVER
(It's Good) To Be Free
Half The World Away
Slide Away
Creation CRESCD195 (CD)
DECEMBER 1994

WHATEVER
(It's Good) To Be Free
Slide Away
Creation CRE195T (12")
DECEMBER 1994

WHATEVER
(It's Good) To Be Free
Creation CRE195 (7")
DECEMBER 1994

WHATEVER
(It's Good) To Be Free
Creation CRECS195 (cassette)
DECEMBER 1994

SOME MIGHT SAY
Talk Tonight
Acquiesce
Headshrinker
Creation CRESCD204 (CD)
APRIL 1995

SOME MIGHT SAY
Talk Tonight
Acquiesce
Creation CRE204T (12")
APRIL 1995

SOME MIGHT SAY
Talk Tonight
Creation CRE204 (7")
APRIL 1995

SOME MIGHT SAY
Talk Tonight
Creation CRECS204 (cassette)
APRIL 1995

ROLL WITH IT
It's Better People
Rockin' Chair
Live Forever (live)
Creation CRESCD212 (CD)
AUGUST 1995

ROLL WITH IT
It's Better People
Rockin' Chair
Creation CRE212T (12")
AUGUST 1995

ROLL WITH IT
It's Better People
Creation CRE212 (7")
AUGUST 1995

ROLL WITH IT
It's Better People
Creation CRECS212 (cassette)
AUGUST 1995

WONDERWALL
Round Are Way
The Swamp Song
The Masterplan
Creation CRESCD215 (CD)
OCTOBER 1995

WONDERWALL
Round Are Way
The Swamp Song
Creation CRE215T (12")
OCTOBER 1995

WONDERWALL
Round Are Way
Creation CRE215 (7")
OCTOBER 1995

WONDERWALL
Round Are Way
Creation CRECS215 (cassette)
FEBRUARY 1996

**DON'T LOOK BACK
IN ANGER**
Step Out
Underneath The Sky
Cum On Feel The Noize
Creation CRESCD221 (CD)
FEBRUARY 1996

**DON'T LOOK BACK
IN ANGER**
Step Out
Underneath The Sky
Creation CRE221T (12")
FEBRUARY 1996

**DON'T LOOK BACK
IN ANGER**
Step Out
Creation CRE221 (7")
FEBRUARY 1996

**DON'T LOOK BACK
IN ANGER**
Step Out
Creation CRECS221 (cassette)
FEBRUARY 1996

**D'YOU KNOW WHAT
I MEAN?**
Stay Young
Angel Child (demo)
Heroes
Creation CRESCD256 (CD)
JULY 1997

**D'YOU KNOW WHAT
I MEAN?**
Stay Young
Angel Child (demo)
Creation CRE256T (12")
JULY 1997

**D'YOU KNOW WHAT
I MEAN?**
Stay Young
Creation CRE256 (7")
JULY 1997

**D'YOU KNOW WHAT
I MEAN?**
Stay Young
Creation CRECS256 (cassette)
JULY 1997

STAND BY ME
(I Got) The Fever
My Sister Lover
Going Nowhere
Creation CRESCD278 (CD)
SEPTEMBER 1997

STAND BY ME
(I Got) The Fever
My Sister Lover
Creation CRE278T (12")
SEPTEMBER 1997

STAND BY ME
(I Got) The Fever
Creation CRE278 (7")
SEPTEMBER 1997

STAND BY ME
(I Got) The Fever
Creation CRECS278 (cassette)
SEPTEMBER 1997

ALL AROUND THE WORLD
The Fame
Flashbax
Street Fighting Man
Creation CRESCD282 (CD)
JANUARY 1998

ALL AROUND THE WORLD
The Fame
Flashbax
Creation CRE282T (12")
JANUARY 1998

**ALL AROUND THE WORLD
(7" EDIT)**
The Fame
Creation CRE282 (7")
JANUARY 1998

ALL AROUND THE WORLD
The Fame
Creation CRECS282 (cassette)
JANUARY 1998

GO LET IT OUT
Let's All Make Believe
(As Long As They've Got)
   Cigarettes In Hell
Big Brother RKIDSCD001 (CD)
FEBRUARY 2000

GO LET IT OUT
Let's All Make Believe
(As Long As They've Got)
   Cigarettes In Hell
Big Brother RKID001T (12")
FEBRUARY 2000

GO LET IT OUT
Let's All Make Believe
Big Brother RKID001 (7")
FEBRUARY 2000

GO LET IT OUT
Let's All Make Believe
**Big Brother RKIDCS001
   (cassette)**
FEBRUARY 2000

WHO FEELS LOVE
One Way Road
Helter Skelter
Big Brother RKIDSCD003 (CD)
APRIL 2000

WHO FEELS LOVE
One Way Road
Helter Skelter
Big Brother RKID003T (12")
APRIL 2000

WHO FEELS LOVE
One Way Road
Big Brother RKID003 (7")
APRIL 2000

WHO FEELS LOVE
One Way Road
**Big Brother RKIDCS003
   (cassette)**
APRIL 2000

SUNDAY MORNING CALL
Carry Us All
Full On
Big Brother RKIDSCD004 (CD)
JULY 2000

SUNDAY MORNING CALL
Carry Us All
Full On
Big Brother RKID004T (12")
JULY 2000

SUNDAY MORNING CALL
Carry Us All
Big Brother RKID004 (7")
JULY 2000

SUNDAY MORNING CALL
Carry Us All
**Big Brother RKIDCS004
   (cassette)**
JULY 2000

ALBUMS

SINGLES BOX SETS

THE DEFINITELY MAYBE SINGLES
Supersonic
Shakermaker
Live Forever
Cigarettes & Alcohol
Interview disc
Creation CREDM002 (5CD box)
NOVEMBER 1996

THE MORNING GLORY SINGLES
Some Might Say
Roll With It
Wonderwall
Don't Look Back In Anger
Interview disc
Creation CREMG002 (5CD box)
NOVEMBER 1996

DEFINITELY MAYBE
Rock'N'Roll Star
Shakermaker
Live Forever
Up In The Sky
Columbia
Supersonic
Bring It On Down
Cigarettes & Alcohol
Digsy's Dinner
Slide Away
Married With Children
Sad Song (vinyl bonus)
Creation CRECD169 (CD)
CREMD169 (MD)
CRELP169 (vinyl 2LP)
CCRE169 (cassette)
AUGUST 1994

(WHAT'S THE STORY) MORNING GLORY?
Hello
Roll With It
Wonderwall
Don't Look Back In Anger
Hey Now!
Some Might Say
Cast No Shadow
She's Electric
Morning Glory
Champagne Supernova
Bonehead's Bank Holiday
 (vinyl bonus)
Creation CRECD189 (CD)
CREMD189 (MD)
CCRE189 (cassette)
CRELP189 (vinyl 2LP)
OCTOBER 1995

BE HERE NOW
D'You Know What I Mean?
My Big Mouth
Magic Pie
Stand By Me
I Hope, I Think, I Know
The Girl In The Dirty Shirt
Fade In-Out
Don't Go Away
Be Here Now
All Around The World
It's Getting Better (Man!!)
All Around The World
 (Reprise)
Creation CRECD219 (CD)
CREMD219 (MD)
CCRE219 (cassette)
CRELP219 (vinyl 2 LP)
AUGUST 1997

THE MASTERPLAN
Acquiesce
Underneath The Sky
Talk Tonight
Going Nowhere
Fade Away
The Swamp Song
I Am The Walrus (Live)
Listen Up
Rockin' Chair
Half The World Away
(It's Good) To Be Free
Stay Young
Headshrinker
The Masterplan
Creation CRECD241 (CD)
CREMD241 (MD)
CCRE241 (cassette)
CRELP241 (vinyl 2 LP)
NOVEMBER 1998

STANDING ON THE SHOULDER OF GIANTS
Fuckin' In The Bushes
Go Let It Out
Who Feels Love?
Put Your Money Where
 Yer Mouth Is
Little James
Gas Panic!
Where Did It All Go Wrong?
Sunday Morning Call
I Can See A Liar
Roll It Over
Big Brother RKIDCD002 (CD)
RKIDMD002 (MD)
RKIDMC002 (cassette)
RKIDLP002 (vinyl LP)
FEBRUARY 2000